무소 장편소설 **집사님은 폭군 사육 중?!**

2

위즈덤하우스

차례

1
Closer

“이제 알겠나?”

“……뭘요?”

“유린에 대한 마음.”

이렇게 설명해 줬는데도 모를 정도로 나는 바보가 아니었다. 내가 아니라 세 살짜리 꼬마가 이 이야기를 듣고 있는데도 ‘레이놀즈가 유리네트를 좋아하네’라고 말했을 것이다.

그 순간 나는 이상하게도 참담하다는 생각이 들었다. 나도 알고 있었다. 고백을 받은 사람이 가지기에는 영 부적절한 감정이라는 걸. 하지만 지금 이 순간 나는 정말로 참담함을 지울 수 없는 기분이었다. 이제 나는 그와 예전의 관계로, 구체적으로 말하자면 이 온천에 몸을 담그기 전의 관계로 돌아갈 수 없다.

그가 내게 좋아한다고 말했기 때문이었다. 남자인 그가 여자인 나를 좋아한다고 말해 버렸기 때문이었다.

그러한 결론의 여파로 내 표정은 살짝 굳어졌고, 그 모습을 보는 레이놀즈 역시 따라서 표정이 굳어졌다.

"……안 좋아하는 얼굴이네?"

"……"

"내가 싫어?"

좋아하지 않는다가 어떻게 싫어한다고 귀결되는 건지.

어마어마한 흑백 논리에 나는 빠르게 고개를 저었다.

"싫어하지 않습니다, 폐하."

뒤에 '폐하'라는 호칭을 붙이며, 나는 앞으로 무슨 일이 있어도, 아니, 남들에게 들킬 일이 없다면 무조건 그를 '폐하'라고 부를 것임을 다짐했다.

그는 내게 '폐하'이어야지, '레이'여서는 안 된다. 그걸 너무 늦게 깨달았다. 내가 안일했다. 나는 반성해야 했다.

"그럼……"

"그렇다고 해서, 그게 폐하의 고백을 받아들일 수 있다는 의미는 아닙니다."

딱딱하게 대꾸하며, 나는 그의 표정이 미세하게 무너져 내리는 것을 확인했다. 이게 맞는 건데, 나는 분명 맞는 행동을 하고 있는데 기분이 이상하게 좋지 않았다.

"어째서?"

그가 이유를 물었고, 나는 이 답이 뻔한 질문에 망설임 없이 답했다.

"폐하의 마음을 받아들일 자신이 없어요."

그러나 이건 듣는 입장에서는 다소 모호한 대답일지도 모른다.

"끝이 뻔한 관계를 원치 않습니다."

황제가 나를 좋아한다.

'만약 내가 이 남자를 좋아한다고 쳐.'

그래서 뭐, 사귀게 된다고 치자. 그럼 나중에 결혼이든 이별이든 함으로써 이 관계는 종지부가 찍힐 것이다.

그런데 후자의 경우 너무나도 데미지가 크다. 만약 결혼 적령기를 넘겨서 그와 이별하게 된다면?

'그럼 내 인생은 어떻게 되는 건데?!'

이대로 노처녀로 죽게 되는 것이다. 나이 든 미혼여성에게 고운 시선이 쏟아지지 않는 이 엘스워드에서! 레이놀즈야 나보다 여덟 살이 더 많은데도 황제니까 언제 결혼하든 아무런 문제가 되지 않지만, 나는 그렇게 여유로운 사정이 되지 못하는 것이다.

그렇다고 해서 나는 내가 이대로 제국의 황후라는, 올려다보기만 해도 목이 꺾일 것 같은 자리에 오를 것이라고도 생각하지 않았다.

'시골 영주의 딸이 황후가 된다?'

이곳으로 와 배우게 된 엘스워드의 역사에서 그러한 전례는 없었다.

'전례가 없는 데에는 이유가 있겠지.'

나는 도박을 택하기보다는 통계를 믿기로 했다.

"죄송해요."

"무슨 뜻이지?"

"무슨……."

"끝이 뻔한 관계라는 게 무슨 뜻이냐고."

"……언젠가는 헤어지겠죠."

사귄다고 해도.

나는 덤덤하게 말했고, 그의 표정은 이상하게 변했다. 이해를 하지 못하는 것 같은 얼굴에, 나는 이상하게 불안하다는 생각이 들었다. 왜 그런 생각이 들었을까는 미스터리였지만.

"으음……."

내 대답을 듣고 그는 생각하는 표정을 지었다. 아까 마차에서 봤던 것보다 더 진지한 표정. 이곳에 온 이래 그가 이토록 깊게 생각하는 모습을 본 적이 없어서, 당황스러운 기분까지 들었다.

'뭘 저렇게 진지하게 생각하고 있는 거지?'

나에 대한 마음을 포기하기라도 하려는 걸까?

'하지만 언뜻 보기에 그런 느낌은 또 아니거든.'

그렇다면 도대체 저 머릿속 안에서는 과연 무슨 생각의 나래가 펼쳐지고 있는 건지. 모쪼록 내게 유리한 방향이었으면 좋겠다고 생각하면서, 나는 인내심 있게 그의 입이 열리기를 기다렸다.

"좋아. 무슨 말인지 알겠어."

그건 분명 긍정적인 한마디였다. 하지만 내가 품은 일말의 기대는 잠시 후 이상하게 변모했다.

"지금 당장 답해주지 않아도 괜찮아."

"……네?"

"지금 당장 내 고백에 답해주지 않아도 괜찮다고."

그렇게 말하는 모습이 지나치게 태연하고 담담해서, 그 아무렇지 않은 담백함은 나를 다시 불안하게 만들었다.

"그게 무슨 말씀이세요?"

결국 참지 못하고 물었지만, 그는 대답 없이 빙긋 웃어 보일 뿐이었다. 그 미소에서 대답은 해주지 않겠다는 뉘앙스가 느껴져서, 내 입술은 자연스럽게 다물려졌다.

"그리고 그것과는 별개로 다시 물을게."

"뭘요?"

"나랑 황궁에 갈 생각, 정말 없나?"

"그것과는 별개로 무슨 이유가 있지요?"

"내 시녀가 되는 거야."

그가 조용한 목소리로 말했고, 나는 순간 멍해진 얼굴로 그를 쳐다보았다. 뭐가…… 되라고요?

"갑자기 시녀는…… 왜요?"

"나보고 좋은 군주가 되어 달라며."

별안간 그가 어제의 이야기를 꺼냈다. 나는 엉거주춤 고개를 끄덕였다.

"내가 좋은 군주가 되는 데 도와줄 사람이 주변에 없네."

"……."

"그러니까 좀 도와줘."

그 말과 함께 그가 나를 빤히 쳐다보았고, 나는 이 말에 어떤 의도가 담겨 있는 건지 혼란스러워졌다. 나를 좋아한다고 말하더니 갑자기 시녀로 입궁하라고 한다.

'이건 결국 사심 채우기밖에 안 되는 것 아냐?'

하지만 그런 의도를 가지고 있다고 하기에는 또 표정이 담백해서 나를 헷갈리게 만들었다. 그러다 나는 문득 그가 했던 말에서 이상한 점을 집어내고 입을 열었다.

"사람이 왜 없어요. 애슐리 경도 있고……."

"내 주변 사람들은 너무나도 충성스럽지."

그가 내 말을 끊으며 말했다.

"엇나가도 바로잡아줄 사람이 없어."

"그 증거가 지금 이 상황 아닌가?"

거기에 반박할 수가 없어서 나는 조용히 입을 다물었다.

'레이놀즈 말이 맞아. 애당초 그런 게 가능했다면 진작 그랬겠지.'

나는 입술을 달싹거리다가 천천히 입술을 떼 물었다.

"좋아하는 사람을 시녀로 들이는 거, 다른 마음이 있으셔서 그러는 건 아니시죠?"

"다른 마음?"

"사심이요."

여기서 아니라는 대답이 나와야 했다. 하지만 우리의 레이놀즈는 늘 그렇듯 쇼킹하다.

"맞는데."

"역시 그렇……."

아무렇지 않게 말을 받을 뻔한 내가 순간 멈칫하고 물었다.

"……뭐라고요?"

"맞다고. 유린이 생각하는 거."

아, 이제 시도 때도 없이 '유린'이야. 이거 뭐 하자는 걸까요.

"사실 방금 말은 핑계고, 진짜는 사심 채우기라고."

순순하게 속내를 고백하면서, 그는 나를 향해 환하게 미소 지었다. 그 당황스러울 정도의 뻔뻔함에 나는 입만 떡 벌린 채 아무 말도 하지 못했다. 그러니까 내가 이해한 게 맞다는 것이다. 저 남자가 사심을 채우기 위해 나를 시녀로 입궁시키려 한다는 것이다.

이 담백한 두 문장을 속으로 반복해서 읊다가, 나도 모르게 불경한 한마디를 중얼거렸다.

"미쳤어……."

"정확히 짚었어."

그가 느른하게 입꼬리를 위로 올렸다.

"내가 생각해도 나는 미친놈 같거든."

"그러니까 협조 좀 해줘."

"무슨 협조요."

"옆에서 유혹할 수 있는 협조?"

"싫어요."

뭐 이런 사람이 다 있어?

나는 황당하기 짝이 없다는 얼굴로 레이놀즈를 바라보았다.

'속이 빤히 들여다보이는 함정에 나더러 제 발로 들어가라고?'

스스로 호랑이굴에 들어가라는 것과 뭐가 다른지 모르겠다.

"다른 분을 찾아보시지요."

"전부 죽었는데."

"네? 누가요?"

"나한테 좋은 군주가 되어 달라는 사람."

그가 태평하게 말을 이었다.

"전부 죽었거든."

"죽이셨어요……?"

"아니, 노화로."

……뭐야.

"……음, 몇은 죽였던 것 같기도 하고."

……네?

"하여튼 충신들 다 죽으니 옆에는 간신들뿐이더라고."

"폐, 폐하의 곁을 지키는 수많은 시종들은 어쩌고요."

"으음."

그가 미처 그것까지는 생각 못 했다는 투로 소리를 냈다.

"하지만 극소수인걸."

"……."

"진지하게 제안하는 거야, 유린."

아니, 속일 거면 처음부터 끝까지 다 속이시던가. 이렇게 다 본심을 까발려 놓고 이제 와 진지하게 제안하시면 뭐합니까? 누가 들어 준다고?

"보수도 넉넉하게 줄게."

"저도 돈은 많습니다."

다이아몬드를 녹인 물로 목욕만 매일 하지 않는다면, 평생 동안 부유하게 살 수 있었다.

"평생 있으라는 거 아니야. 내가 좋은 군주가 될 때까지만 옆에 있어 줘."

"그래놓고 막 50년 이러시려고요?"

"……하하."

청량하게 웃은 그가 눈가를 살포시 접었다.

"들켰네."

"……농담이 아니라 정말 생각 없습니다."

나는 진지하게 표정을 굳히며 말했다.

"폐하의 마음을 알게 된 지금은 더더욱요."

"그건 좀 상처네."

그 말과 함께 그가 한쪽 눈썹을 처량하게 굽혔고, 그 모습을 보자 나는 순간 마음이 약해졌다. 하지만 이내 마음을 다잡고 속으로 고개를 저었다.

"죄송합니다."

"……사과 듣자고 꺼낸 말 아닌데."

그가 나를 가만히 바라보다 물었다.

"내 마음을 받아주지 않는 이유 말이야."

나는 그를 올려다보았다. 그의 새까만 눈동자가 시야에 들어왔다.

"단순히 그 이유 때문이야?"

"무슨……."

"끝이 정해진 관계가 싫어서."

여전히 그의 시선은 나만을 향했다.

"그래서 내 마음을 받아주지 못하는 거면."

"……."

"나를 좋아하기는 해?"

그가 빈틈을 찾아 들어왔고, 나는 당황했다.

그렇다. 나는 단 한 번도 그에게 싫다고 말한 적은 없었다. 그저 그의 마음을 받아들여 주지 못한다, 그렇게만 말했을 뿐이다.

이별의 확률이 더 높은 관계의 끝을 감내할 자신이 없기 때문에.

"……아니다. 질문을 바꾸지."

그가 빠르게 말을 돌렸다.

"내가 싫어, 유린?"

"아까도 대답한 것 같은데요."

싫은 건 아니라고. 하지만 그게 좋아한다는 말은, 또 아니라고. 내 말을 들은 레이놀즈의 표정에 알 수 없는 안도감이 스쳐 지나갔다.

"그럼 됐어."

뭐가 됐다는 건지.

밑도 끝도 없는 한마디에 나는 눈을 가늘게 뜨고 그를 쳐다보았다. 저 입 밖으로 또 무슨 말이 나올지 불안 불안하다.

"문제 될 거 없잖아. 유린은 나를 싫어하지도 좋아하지도 않고, 나는 유린을 좋아하고."

"그게 무슨……."

"마음 강요할 생각 없어. 그냥 평소처럼 대해 줘."

웃음기를 덜어낸 얼굴로 말하는 그를 물끄러미 바라보았다. 당신, 지금 무슨 생각인 거니.

"그럼 그게 어디든 문제 될 거 없지 않나?"

"황제의 직속 시녀로 일하는 건 영광스러운 일이지."

그가 조용하게 한 마디를 덧붙였다.

"잘 생각해 봐, 유린."

❦ ❦ ❦

온천욕을 마치고 방으로 돌아오자, 에이미가 옷을 갈아입는 것을 도와주었다. 나는 그녀의 손에 몸을 맡긴 채 멍한 상태로 가만히 서 있기만 했다.

'도대체 뭐지…….'

그러니까 지금 상황을 정리하자면, 레이놀즈가 내게 좋아한다고 고백을 했는데 나는 거절을 했고, 그런 나한테 시녀로 입궁하라고 제안한 것이었다. 평소처럼 지내자면서.

아, 이 스펙터클한 상황이 몹시도 당황스러운 건 나뿐인 걸까.

"……가씨."

"……."

"아가씨!"

그때 에이미가 나를 불렀고, 나는 그제야 정신을 차리고 눈을 깜빡거렸다. 옆에서 에이미가 타박하는 소리가 들려왔다.

"무슨 딴생각을 그렇게 하세요?"

"……아아."

나는 눈을 흐릿하게 뜨며 둘러댔다.

"그냥. 눈이 언제 그칠까, 그 생각?"

바깥에서는 여전히 눈이 내리고 있었다. 자칫 오늘이 아니라 며칠 동안 이곳에서 머무르게 될지도 모르겠다는 불길한 생각이 엄습했다. 이런 시점에 고립이라니. 여러 의미로 위험하다.

"주인님과 주인마님께서 걱정하시겠어요."

하지만 부모님은 아마 별생각 없을 가능성이 컸다.

"……뭐, 이런 일이 한두 번은 아니라."

대수롭지 않게 대꾸하며 관자놀이를 긁적이는데, 에이미가 갑자기 물어왔다.

"폐하와 온천욕은 즐거우셨어요?"

애써 관심을 돌렸는데 에이미 덕분에 다시 떠올라 버렸다. 나는 속으로 깊게 한숨을 내쉬며 입 밖으로는 딴소리를 내뱉었다.

"응. 아주. 눈 맞으면서 하는 온천욕 끝내주더라."

"즐거우셨다니 다행이네요. 춥지는 않으시고요?"

"괜찮아."

저녁까지는 시간이 조금 남아 있었다. 나는 무엇을 할지 고민하다가, 졸음이 밀려오는 것을 느꼈다.

'지금 자면 이따 밤에 잠 안 올 텐데…….'

하지만 그런 걱정이 무색하게도 입에서는 하품이 쏟아져 나왔다. 그 모습을 본 에이미가 물었다.

"졸리세요?"

"응. 조금."

"저녁 먹기 전까지 몇 시간 남았으니 좀 주무세요. 저녁 드실 때 깨워드릴게요."

"……그럴까?"

나는 살짝 고민하다가 이내 고개를 끄덕였다.

"부탁할게, 에이미."

❧ ❧ ❧

유리네트의 잠자리를 살펴준 뒤, 에이미는 침실 밖으로 나왔다.

그때, 맞은편 방에서 누군가가 똑같이 바깥으로 나왔다.

"아……!"

레이놀즈였다. 에이미는 우왕좌왕하다가, 빠르게 정신을 차리고 허리부터 90도로 굽혔다.

"화, 황제 폐하를 뵙습니다!"

"……그렇게 큰 소리로 말하다간 다른 사람들까지 다 듣겠어."

"죄, 죄송합니다!"

목소리 좀 낮추라니까.

레이놀즈가 피식 웃은 다음 짝사랑하는 이의 행방을 물었다.

"네 주인은?"

"낮잠을 주무시고 계십니다."

"흐음……."

그 말을 듣고 레이놀즈는 고민하는 표정을 지었고, 에이미는 그 앞에서 긴장으로 마른 침을 꼴깍꼴깍 삼켜 넘겼다. 제 아가씨가 새삼 대단하게 느껴지는 순간이었다. 자신은 황제 폐하의 앞이라는 사실만으로도 숨을 제대로 쉴 수가 없고 온몸이 긴장으로 뻣뻣해지는데, 어찌 아가씨께서는 그토록 자연스럽게 폐하를 보좌하실 수 있으신 건지. 높은 사람 시중도 아무나 드는 게 아니라고 생각하면서, 에이미는 긴장으로 마른 입술을 조심스럽게 축였다.

"안에 들어가도 되나?"

"네?"

"방 안에."

레이놀즈는 두 번 말하고 싶지 않다는 눈치였고, 에이미는 빠르게 그 사실을 알아차렸다.

"아, 네. 하지만 지금 주무시고 계셔서……."

"자는 모습만 보고 나올 거야. 가서 좀 쉬고 있지."

"화, 황공합니다, 폐하."

에이미는 그 순간 서둘러 이 자리를 빠져나가고 싶다는 생각밖에는 들지 않아서, 최대한 빠르게 인사를 남긴 다음 도망치듯 자리를 빠져나왔다. 비로소 혼자 남겨진 레이놀즈가 입가에 실낱같은 미소를 띤 채 천천히 유리네트가 잠든 방의 문을 열었다.

손잡이가 부드럽게 돌아가며 문이 열렸고, 레이놀즈는 느릿하게 방 안으로 들어갔다. 혹시라도 잠을 깨울까 봐 조심하면서, 그는 사뿐한 발걸음으로 유리네트의 침대 근처까지 다가갔다.

그녀는 깊게 잠들어 있었고, 약간의 소음으로는 깨지 않을 것처럼 보였다. 레이놀즈는 잠든 유리네트의 얼굴을 물끄러미 쳐다보다가 이내 천천히 무릎을 꿇고 앉았다.

두 사람의 거리가 더 가까워졌고, 레이놀즈는 그 사실에 만족해하는 사람처럼 빙긋 미소 지었다.

"유린."

그가 조용히 그녀를 불렀다. 유린은 그의 부름 따위 안중에도 없다는 듯 계속 고른 숨소리만 새근새근 내고 있었다.

제 부름에 답이 없었음에도 레이놀즈는 기뻐 보였다.

그녀의 존재 자체가 그에게 기쁨을 준다는 듯.

"내 주인님."

그가 환희에 찬 목소리로 잠든 유리네트에게 속삭였다. 여전히 유리네트는 듣지 못했고, 레이놀즈 역시 그녀가 듣기를 바라여 말한 내용은 아니었다. 그는 그저 그 말을 내뱉는 것만으로도 만족한 얼굴로 잠든 그녀의 이마 위로 입맞춤을 남겼다.

부드러운 입술이 연약한 살갗에 닿았다 떨어졌다.

"무슨 걱정이 그리 많으실까."

유리네트가 걱정하는 바를 레이놀즈는 대충 알 것 같았다.

나이가 찬 남녀. 한쪽은 지고한 엘스워드의 황제이고, 한쪽은 귀족이라 해도 시골 영주의 딸. 후일 헤어짐에서 타격을 입을 쪽은 누가 뭐래도 여자 쪽일 것이었다.

'그게 일반적인 관계였다면 말이지.'

하지만 유린. 당신은 왜 그걸 모를까.

"애당초 내 옆에 당신이 없다면."

그 어떤 것도 의미가 없는데.

"아무것도 쓸모없거든, 나한테는."

그가 느릿하게 입꼬리를 끌어 올리며 흘러내린 유리네트의 머리카락을 조심스럽게 정리해 주었다. 그 손길이 더없이 부드럽고 신중해서, 만약 유리네트가 그때 깨어 있었다면 그녀는 틀림없이 가슴이 두근거렸으리라. 레이놀즈는 더없이 사랑스럽다는 눈길로 잠든 주인을 바라보며, 천천히 속삭였다.

"너무 걱정하지 마요."

정해진 끝이 이별은 절대 아닐 테니까.

그렇다면 이제 남은 것은, 걱정 많으신 그의 주인님을 잘 달래 제 품으로 안기게 하는 것뿐이리라. 레이놀즈는 어렵지 않다는 듯 싱긋 미소 지으며 읊조렸다.

"우린 서로가 서로를 구원하는 관계잖아요."

"……."

"그렇죠?"

대답은 여전히 들려오지 않았지만, 그는 이미 대답을 들은 사람처럼 만족스럽게 입꼬리를 움직였다.

시간은 그의 편이고, 결말은 정해진 순리대로 나게 되리라.

❦ ❦ ❦

눈이 저절로 뜨이면서 잠은 깨졌다.

나는 눈을 깜빡이며 정신을 차리기 위해 애썼다. 고개를 돌리지도 않았지만, 방 안이 어둡다는 것쯤은 어렵잖게 알 수 있었다. 아마 저녁쯤 됐겠지.

나는 깜깜한 방 안에서 더 잠들지 않기 위해 부러 인상을 썼다.

'……몇 시지.'

어느 정도 해소된 피로와 더불어 약간의 뻐근함이 느껴졌다.

나는 몸을 느릿하게 움직이며 고개를 돌렸다.

'어……?'

그리고 절대 이곳에 있어서는 안 될 사람을 발견하고 말았다.

"……레이놀즈?"

나는 믿을 수 없다는 얼굴로 침대 옆자리에서 잠이 든 레이놀즈를 쳐다보았다. 새근새근 잠든 숨소리가 공기 중에 연하게 퍼져 울렸다.

나는 멍한 얼굴로 그를 응시하며 지금 상황을 이해하기 위해 애썼다. 어째서 그는 자신의 방이 아니라 내 침대에서 이러고 있는가.

'내 방으로 들어온 거야?'

에이미가 제지하지 못한 모양이었다…… 하고 생각하다가, 나는 어이가 없어져서 피식 웃었다. 에이미가 무슨 수로 제지를 한단 말인가. 다른 사람도 아니고 엘스워드의 황제를.

누굴 탓할 문제가 아니라고 생각하면서 나는 잠든 레이놀즈의 얼굴을 빤히 바라보았다.

'……잘생겼네.'

빈번히 생각하는 내용이었지만, 그는 상당한 미남이었다. 검은 머리카락과 검은 눈동자는 한국에서도 자주 보아 익숙했지만, 그 이국적인 마스크는 동서양을 초월한 듯한 색을 띠고 있었다.

길을 걷는 사람 그 누구라도 걸음을 멈추고 뒤를 돌아볼 수밖에 없게 만드는 미모. 여장을 해놓아도 유리네트보다 예쁠 것 같다는 쓸데없는 생각을 하면서, 나는 물끄러미 그를 쳐다보았다. 역시, 두 번 봐도 잘생긴 외모다.

"하아……."

그러다 어느 순간 한숨이 새어 나왔다. 잘 자놓고 갑자기 왜 한숨을 쉬는 건지 모르겠다고 생각하다가, 이내 그 원인을 빠르게 깨달았다.

'다 이 남자 때문이야.'

갑자기 고백을 해오지를 않나, 황궁에 같이 가서 시녀로 입궁해

달라고 하지를 않나. 나는 눈살을 폭 구기며 도통 알 수 없다는 표정을 지었다. 전자는 그렇다 쳐도 후자는 도대체 뭐란 말인가.

'참 황제다운 자신감이라고밖에는 생각이 안 드네.'

나라면 좋아하는 사람에게 시중 들 사람으로 곁에 남아달라는 말, 절대 못 할 텐데.

'하긴. 태생부터 다르기는 하지.'

나는 그렇게 생각해 버리기로 하고는 다시 잠든 레이놀즈에게로 시선을 돌렸다. 내가 깬 줄도 모르고 깊게 잠든 모습을 보니 어지간히 피곤했나 보다.

'이거 어떻게 깨우지.'

곤히 잠든 사람을 깨우는 걸 그리 좋아하는 편이 아니어서 더 꺼려졌다.

'그래도 저녁 식사 하려면 지금쯤 일어나야 하는데…….'

그리고 내가 어째야 하나 깊게 고민하고 있던 그때였다.

"……아."

그가 느릿하게 몸을 뒤척이다가 천천히 몸을 일으켰다. 그 일련의 과정들을 나는 숨도 제대로 쉬지 못하고 바라보았다. 이미 깨어난 사람을 더 깨우고 싶지 않아 하는 행동 같아서 뒤늦게 황당해졌지만.

그는 잠이 덜 깬 게 분명한 커다란 눈을 두어 번 정도 느른하게 깜빡이다가, 이내 초점을 내 쪽으로 모았다. 연약하면서도 야릇함이 느껴지는 그 시선이 나를 긴장하게 만들었다. 나도 모르게 마른 침이 식도를 타고 꿀렁 넘어갔다.

"……주인님?"

얼마간의 침묵 끝에 나온 한마디가, 그때까지도 정신을 차리지 못하고 있던 나를 각성시켰다. 그만큼 그 단어가 주는 황당함이 강력했다. 나는 미간을 살짝 좁히며 이상함을 표했다.

저 남자가 지금…… 내게 뭐라고 한 거지?

'주인님?'

익숙함이 느껴지는 단어다. 왜일까.

'사람에게 주인님 소리 들을 일은 없었던 것 같은데.'

잘못 부른 건가? 나는 눈살을 폭 구기며 천천히 입을 열었다.

그리고 그를 부르려던 찰나였다.

"아……!"

갑자기 그가 몸을 벌떡 일으키더니 그대로 나를 안아왔다.

조금도 예상하지 못했던 상황에 나는 당황해서 그대로 뒤로 넘어갔다. 그가 그것을 의도적으로 바란 것인지, 의도치 않게 이런 상황이 된 것인지는 모르겠지만, 확실한 건 지금 내가 몹시도 당혹스럽다는 사실이었다.

그는 강하지도 약하지도 않은 힘으로 나를 끌어안았고, 그 반동으로 나는 뒤로 넘어갔다. 부드러운 침대 위로 다시금 머리가 닿았다. 그리고 이 자세가 상당히 야릇하다는 사실을 깨닫게 되면서, 내 얼굴은 순식간에 붉어졌다.

"이게 지금…… 무슨……."

어이가 없어서 말도 제대로 안 나왔다. 나는 머릿속의 모든 게 꼬여버린 사람처럼 멍하게 있다가, 이내 정신을 차리고 그를 불렀다.

"폐하, 폐하."

"……주인님."

"폐하."

유감스럽게도 저는 댁의 주인님이 아닌데요…….

나는 인상을 찡그리며 그를 뿌리치려고 했다. 하지만 그 순간 들려온 한마디에, 내 움직임은 거짓말처럼 멈추었다.

"버리지 마……."

"……."

방금 그건 의도적인 걸까. 그 생각을 하느라 나는 잠시 동안 아무것도 할 수 없었다.

"……웃."

그러는 사이 그는 내 목 위로 얼굴을 묻었다. 그 모습이 주인의 체취를 확인하려는 고양이 같아서, 나는 순간 오싹 소름이 돋았다.

이상하고, 기묘하고…… 야릇한 기분이다.

'하아…… 내가 미쳐.'

나는 속으로 한숨을 뱉어내며 레이놀즈를 불렀다.

"폐하."

"……."

"폐하."

"……."

"일어나신 거 다 알아요."

"……."

"……폐하?"

설마, 이대로 다시 잠든 거야? 나는 곤란하다는 얼굴로 입술을 달싹거렸다. 아니, 이대로 다시 잠들면 저더러 어쩌라는 건가요……? 나는 그를 흔들거리며 깨우기 시작했다.

"폐하, 일어나 보세요."

"……."

"폐하."

아무리 불러도 도통 일어날 기미가 보이지 않자, 나는 답답해지기 시작했다. 아, 어쩌면 좋아.

'이대로 에이미라도 들어오면 빼도 박도 못하게 오해할 텐데.'

나는 아랫입술을 질겅질겅 씹다가 끝내 한숨을 뱉어냈다.

"……하아."

이대로 밀어낼 수도 없고.

"폐하."

"……."

여전히 답이 없었다. 잠깐 고민하던 나는, 약간의 머뭇거림과 함께 다른 말로 그를 불렀다.

"……레이."

그리고 그 순간, 내 품에 얼굴을 묻고 있던 레이놀즈가 번쩍 고개를 들어 올렸다. 그 민첩한 움직임에 나는 어이가 없어졌다.

'뭐야……. 깨어 있었잖아?'

어쩐지 농락당한 기분이다. 나는 황당함에 입도 제대로 다물지 못하고 그를 빤히 쳐다보았다. 그리고 그는, 어쨌든 잠에서는 방금 깬 것이 확실해 보이는 얼굴로 나른하게 미소 지었다.

"불러줬네."

"이름."

"치사하십니다."

"이렇게라도 안 하면 평생 이름 안 불러줄 것 같았거든."

"……이제 그만 일어나 주시겠어요."

나는 미간을 좁히며 덧붙였다.

"무겁거든요."

그 말을 들은 레이놀즈가 천천히 내 품에서 몸을 일으켰고, 그제야 나 역시 자세를 바로 세울 수 있었다. 나는 겨우 침대 위에 앉아 길게 한숨을 내쉬었다. 이런 얕은수에 걸려들다니.

'내가 너무 이 남자를 만만하게 봤지.'

사실은 속에 구렁이 백 마리 정도는 키울 것 같은 남잔데. 내가 눈을 가늘게 뜨며 그를 쏘아보았다.

"여긴 어쩐 일이세요?"

"응?"

"모르는 척하지 마시고요."

나는 날카롭게 물었다.

"이 방에는 왜 들어오셨냐고요."

"잠든 모습 보고 싶어서."

할 말이 없었다. 이다지도 당당한 모습이라니.

'……뭘 기대한 거야.'

이 남자가 당황하는 모습을 기대한 내가 바보였다.

"천사 같더라고."

"잠든 모습."

"다음부터는 그러지 마세요."

"왜?"

"불쾌하니까요."

그 말을 들은 레이놀즈의 표정이 시무룩해졌고, 나는 황당해져서 물었다.

"왜 그런 표정이세요?"

"나더러 불쾌하다고 하잖아."

"……불쾌하니까요."

나는 입장 바꿔 생각해보라는 듯 그에게 물었다.

"제가 폐하의 잠든 모습을 빤히 지켜보고 있었다고 생각해

봐요."

"아주 좋은데."

생각만 해도 기분 좋다는 듯, 그의 입가에 반짝거리는 미소가 나타났다. 아, 이거 완전히 미친놈이네.

나는 경악한 얼굴로 그에게 물었다.

"원래 이런 분이셨어요?"

"'이런'이 뭘 말하는지 모르겠는데."

"원래, 이렇게……."

차마 '미친 분이셨어요?'라고는 말하지 못해 입안에서 자꾸 맴돌기만 했다. 그런 내 고충을 알았는지, 레이놀즈가 친절하게 선수를 쳤다.

"미친놈이었냐고?"

"……."

"표정 보니 맞네."

하지만 그 불경스러운 한마디를 내뱉은 사람답지 않게, 그는 여전히 미소 짓는 모습이었다.

잠에서 방금 깬 미남의 얼굴은 어찌하여 저렇게도 아름다운지. 나는 그를 저런 식으로 빚어 놓은 신을 원망하면서 입을 열었다.

"아닙니다."

물론 거짓말이었지만, 이렇게라도 말해야 할 것 같았다. 당연하게도 그는 믿지 않는 눈치였다. 그래도 상관없어 보였지만.

그때, 레이놀즈가 갑자기 내게로 가까이 다가왔다. 나는 아까의 상황을 기억하고 반사적으로 몸을 길게 뒤로 내뺐다. 그 모습을 보고 그가 서운하다는 듯 다시 눈살을 폭 구겼다. 으레 어린아이가 마음에 들지 않을 때 흔히 짓는 표정이었는데, 나는 이 모습을 볼 때면 기분이 몹시 이상해졌다.

"아까도 말하지 않았던가?"

그 이후 나온 첫 마디였다.

"나는 원래부터 미쳐 있었어."

"……."

"유린에게."

그 충격적인 고백에 나는 입을 떡 벌렸다.

"……언제부터요?"

"원래부터."

"원래부터라 하심은……."

나는 빠르게 머리를 굴려 말을 뱉어냈다.

"처음 만났을 때부터?"

"……으음."

그가 기묘한 표정으로 인상을 썼다.

"유린이 기억하는 '처음'과 내가 기억하는 '처음'은 달라."

'다를 거야'도 아니고 '달라'라니. 확정하는 어투가 미스터리했다.

내가 눈썹을 찡그리며 물었다.

"무슨 뜻인가요?"

"말 그대로야."

그가 빙긋 웃으며 덧붙였다.

"근데 지금은 비밀."

"제게 숨기시는 게 많은 눈치세요."

나는 초반 그가 내게 했던 이야기를 기억하며 말했다.

"절 특별하다 말씀하시고."

"지금은 좋아한다, ……미쳐 있다."

"하지만 전부 사실인걸."

그가 입가에서 미소를 지우지 않은 채 말했다.

"지금 말해주기에는 이르지만."

"저와 폐하 사이에, 제가 기억 못 하는 무언가가 있나요?"

"기억을 못 한다기보다는……."

레이놀즈는 잠시 생각하다 말을 맺었다.

"알아차리지 못하고 있다는 게 더 맞는 표현이겠지."

그 두 개가, 다른 의미인가? 아리송해진 나는 눈썹을 더 강하게 찡그렸다. 하지만 레이놀즈는 그런 내 표정을 바라보는 게 즐겁기라도 한 것처럼 미소 지으며 내게 물었다.

"궁금해?"

"네."

"입궁하면 알려줄게."

싱그러운 미소와 함께 그가 덧붙였다.

"지금은 저녁 먹으러 가고."

⚘ ⚘ ⚘

대화는 흐지부지 마무리되었고, 나는 세수만 마친 뒤 식당으로 내려갔다. 여전히 바깥에서는 눈이 내리고 있었는데, 이러다 레이놀즈의 남은 요양 기간을 전부 이 산장에서 보낼지도 모르겠다는 생각이 들었다.

"아무래도 일주일은 이곳에서 지내셔야겠네요."

창밖을 바라보던 관리인 아저씨의 한마디에, 내 표정이 굳어졌다.

암울하게도 그래야만 할 것 같았다.

정작 레이놀즈는 별생각이 없어 보였지만. 그는 구운 칠면조가 담긴 접시에만 신경을 집중하고 있었다.

"눈이 많이 쌓였어요. 섣불리 움직이시면 안 됩니다."

"……그래야겠죠."

나는 하는 수 없다는 어조로 말했다. 무엇보다 안전제일주의였던 데다, 다른 사람도 아닌 황제와 동행하는 깃이었으니 평소보다 더 신경 써서 움직여야 함은 당연했다. 나는 팍팍한 칠면조의 뒷다

릿살을 씹으며 멍한 얼굴로 있었다.

"이걸로 먹지."

그때 레이놀즈가 제 앞에 있던 접시를 내게 내밀었다. 나는 순간 이게 무슨 상황인지 전혀 파악이 안 돼서 어벙한 얼굴로 그를 바라보았다. 그리고 나보다 먼저 상황 파악을 마친 사람은 다름 아닌 관리인 부부였다.

"어머, 다정하기도 해라."

"허허, 영식께서 참 섬세하십니다."

아니, 잠깐만…….

나는 지금 상황이 믿어지지 않는다는 얼굴로 레이놀즈를 쳐다보았다. 관리인 부부야 레이놀즈를 그저 옆 지역의 영주의 아들쯤으로 알고 있으니 지금 이 상황에 위화감이 들지 않을 수 있지만, 나는 아니니까. 이 남자가 고작 작은 영지가 아니라 거대한 엘스워드 전체를 다스리는 군주라는 사실을 알고 있었으니까.

그래서 지금 이 상황에 현실감이 부여되지 않는 것이었다. 원래 이런 일은 이 사람이 아니라 내가 해야 할 일이었기 때문에.

그러니 내가 이 초유의 상황에 빠르게 적응하지 못하고, 그에게 고맙다고 인사하는 것마저 잊은 건 전혀 이상한 일이 아닐 테다.

하지만 여기서 더 적응 안 되는 건 그가 이러한 나의 태도를 지적하지 않고 빙긋 미소 지으며 나를 바라보고 있다는 점이었다. 유치원 선생이 밥 먹는 어린아이를 지켜보는 듯한 태도에 나는 할 말을 잃었다.

지금 이 상황이 꿈은 아닌지, 정말 생시가 맞는지 혼란스러웠다.

"……감사합니다."

나는 한참 후에야 그렇게 대답했다. 여기서 싫다고 빼는 것도 그를 우습게 만드는 일이었으니. 하지만 그렇다고 해서 내가 이 상황에 적응했다는 건 절대 아니었다. 나는 배역도 모르는 연극 속에 던져진 사람처럼 어색하게 포크를 놀리다가, 어느 순간 바닥 아래로 떨어뜨렸다.

쨍그랑!

쇠가 바닥과 부딪쳐 마찰하는 소리와 함께 나는 화들짝 놀라 의자를 뒤로 끌었다.

"유린!"

뒤이어 들려오는 날카로운 목소리. 나는 얼떨떨한 얼굴로 소리가 난 쪽을 바라보았다. 레이놀즈가 미간을 잔뜩 좁힌 얼굴로 일어선 뒤 내게 다가와 무릎을 굽히고 앉았다.

"아……."

나는 멍한 얼굴로 그가 내 아래서 포크를 줍는 모습을 바라보다가, 이건 정말 아닌 것 같다는 생각이 들어서 황급히 의자에서 내려왔다. 지금 누가 시녀고, 누가 황제인지 모르겠다.

"폐, 아니 레이, 제가 할게요."

나는 다급하게 그에게서 포크를 가져왔고, 그 바람에 날카로운 포크날들이 손바닥에 작은 상처를 입혔다. 나도 모르게 신음이 튀어나왔다.

"아……."

내가 눈살을 찌푸리며 다시 포크를 떨어뜨렸고, 그 모습을 본 레이놀즈의 표정은 더욱 안 좋아졌다. 그는 말없이 포크를 집어 들어 테이블 위에 올려놓은 다음 뒤에 서 있던 관리인 부부에게 부탁했다.

"손을 치료할 게 좀 필요하겠는데."

"아, 네."

상황이 갑자기 심각해지자, 관리인 아주머니는 빠르게 약품이 든 상자를 가지고 왔다. 하지만 피가 많이 나는 것도 아니어서, 나는 그의 행동이 다소 과하다고 느꼈다. 이런 내 생각을 읽기라도 한 건지, 레이놀즈가 낮은 목소리로 단언했다.

"치료해야 해."

"……."

"필요 없다고 생각하고 있었지?"

……진짜 관심법이라도 쓰는 건가.

"잘못 덧나기라도 하면 어쩌려고."

그는 능숙하게 상자 안에서 소독약과 흰 천을 꺼낸 다음 상처 난 손을 부드럽게 감싸 쥐었다. 그 서늘한 느낌에 나도 모르게 움찔하자, 그가 당황한 얼굴로 물었다.

"아픈 건가?"

"아닙니다."

"거짓말하지 말고."

"정말이에요. 단지 조금 차가워서……."

내 기어들어 가는 목소리에, 레이놀즈가 난처한 표정으로 내게 사과했다.

"미안해."

사과할 일은 아니었다. 손 차가운 게 뭐가 어때서.

레이놀즈의 주눅 든 목소리를 듣고 기분이 안 좋아져서, 나는 욱한 음성으로 말했다.

"사과하실 필요 없어요."

"폐하 잘못도 아닌데."

그 말과 함께 내가 먼저 그의 손을 덥석 잡았다. 여전히 그의 손은 차가웠지만, 한 번 겪어 봐서인지 아까보다는 높은 온도처럼 느껴졌다. 그는 이런 내 행동을 전혀 예상하지 못했다는 듯, 조금 놀란 얼굴로 나를 쳐다보다가 이내 희미하게 미소 지었다. 그제야 내 마음은 비로소 조금 편안해졌다.

☙ ☙ ☙

"조금 아플지도 몰라."

그 말과 함께 그는 다친 손바닥 위로 조심스럽게 소독약이 묻은 솜을 톡톡 두드렸다.

"아······!"

조금이 아니라 많이 아팠다. 이거 소독약 맞아? 내가 얼얼해진 손을 움찔거리며 눈썹을 찡긋거렸고, 그 모습을 흘긋 본 그가 걱정스럽게 물었다.

"많이 아픈가?"

"조금······."

사실은 많이······. 하지만 본심대로 말하지 못하고 나는 그 대답을 애써 속으로 삼켰다.

"후······."

잠시 후에, 그가 내 손바닥 위로 새하얀 천까지 둘러주고 나서야 처치는 끝이 났다. 그가 깊게 숨을 내쉬며 내게 말했다.

"다 됐어."

그 순간, 나는 뜬금없게도 그 목소리가 상당히 유혹적이라고 느꼈다. 그리고 그 생각을 하고 곧바로, 나는 내가 미쳤다고 생각했다. 아무래도 포크에 손이 아니라 뇌가 긁힌 게 분명하다.

"······감사합니다."

살짝 후끈하다고 느끼면서, 나는 어색하게 웃으며 그에게서 잡힌 손을 빼냈다. 그러다 문득 이런 상황에 처하게 된 근본적 원인을 상기하고선 빠르게 얼굴이 굳어졌다.

"아까는 왜 그러셨어요?"

상자를 정리하면서, 그가 태연하게 되물었다.

"뭘?"

"제게 보여주신 지나친 호의요."

나는 아랫입술을 한 번 깨물며 말을 이었다.

"음식 접시 주신 거나, 포크 주워주신 거."

"포크는 유린이 주웠어."

"……결과적으로는 그렇지만 시작은 제가 아니었으니까요. 저는 왜 그런 행동을 하셨느냐고 묻고 싶은 거예요."

그 말에, 상자 정리를 마치고 뚜껑까지 닫은 그가 고개를 돌려 나를 물끄러미 바라보았다. 한참 동안 그런 상황이 지속됨에 따라 내가 불편함을 느끼던 새, 그는 어느 순간 입을 열었다.

"알고 있을 줄 알았는데."

그러면서, 천천히 내 쪽으로 몸을 밀착시켰다. 나는 몸을 움찔거렸지만, 이상하게 도망가도 소용없을 것 같다는 생각이 들었다.

"내가 좋아하니까."

"유린을."

"……방금 말씀드린 일들은."

나는 흔들림 없는 목소리를 유지하기 위해 애쓰며 그에게 말했다.

"전부 제 일이었어요. 폐하는 시중 받으셔야 할 분이시지, 그걸 하실 분이 아니에요."

"시종이라고 생각한 적 없는데."

그는 아무렇지 않게 어깨를 으쓱였다.

"그냥 내가 좋아서 한 일이야."

"남들 눈에는 그렇게 안 보여요."

"여기 내 신분을 아는 '남'이 누가 있는데?"

"제 하녀, 폐하의 시종들, 그리고……."

"그들은 전부 나를 이해할 거야."

말에 어폐가 있었다. 나는 입술을 꾹 깨물었다가 그에게 말했다.

"제가 불편해요. 저 때문에 그러신 거잖아요."

"……."

"다 알아요. 저는 폐하께서 안 그러셨으면 좋겠어요."

"……내가 부담스러워?"

"당연하죠."

"왜?"

"폐하시니까요."

뻔한 질문에 당연한 대답. 나는 그와 눈을 맞추며 계속 말했다.

"폐하께서 제게 하시는 모든 행동, 과합니다. 저를 정말 아끼신
다면 그러지 마세요. 제게 이런 식으로 다가오시면, 전 계속 물러날
수밖에 없어요."

내 말을 듣고 레이놀즈에게서는 한참 동안 말이 없었다. 나는 뒤

늦게 너무 단호하게 말한 건 아닌지 걱정했지만, 이게 서로를 위해서라도 좋을 거다. 이게 맞는 거라고 생각하면서, 나는 언제라도 그의 입이 열리기를 기다렸다.

"알았어."

그리고 그의 목소리가 들려온 것은, 아직은 기다릴 수 있을 것 같다고 생각할 무렵이었다.

"내가 너무 성급했네."

첫 문장은 괜찮았는데 뒤따라오는 문장이 다소 기묘하게 들렸다. 그게 무슨 뜻인지 물어보고 싶었는데, 그러기에는 너무 지나치다는 생각이 들어 그만두었다.

"앞으로는 주의할게."

정색할 줄 알았는데 결과가 의외였다. 그는 느릿하게 입꼬리를 끌어 올려 미소 짓고는, 내 머리를 부드럽게 두어 번 쓰다듬었다.

사실 이마저도 하지 말라고 하려다가 그만두었다.

'이만하면 충분히 알아들었겠지.'

나는 어리석게도 그렇게 믿고 있었다.

꽃 꽃 꽃

산장에서 밤을 보내는 것은 상당히 오랜만이었다. 눈은 저녁 식사를 끝마친 뒤에야 내리는 것을 멈추었고, 나는 아까 먹은 것이 체

했는지 살짝 거북함을 느꼈다. 산책도 할 겸해서 나는 바깥으로 나왔다. 바깥으로 발을 내딛자마자 뽀드득거리는 소리가 듣기 좋게 울려 퍼졌다.

나는 다시 동심으로 돌아가서 계속 뽀드득 소리를 내며 걸었다. 그렇게 얼마나 걸었을까. 문득 주변이 밝아진 느낌에 무의식적으로 고개를 들어 올렸다.

"와……."

그리고 더없이 아름다운 광경과 마주했다.

분명 눈이 온 직후라 구름이 잔뜩 끼었을 게 분명한데, 언제 물러갔는지 구름이 전부 다 개고 반짝거리는 별들만 남아 있었다.

이 진기한 광경에 나는 넋을 잃고 바라보다가, 문득 이 아름다움을 레이놀즈에게도 보여주고 싶다는 생각을 했다. 그리고 그 순간, 뒤쪽에서 생각하고 있던 이의 목소리가 들려왔다.

"별 보고 있었어?"

나는 뒤를 돌아 내 쪽을 향해 걸어오는 레이놀즈를 쳐다보았다.

시종 한 명도 대동하지 않은 채였으나, 어두운 밤길을 걸어오는 그의 모습은 황제 그 자체의 권위와 위엄을 내게 상기시켜주었다.

하지만 그와는 별개로, 그가 걸어올 때마다 바닥에서 뽀드득뽀드득 귀여운 소리가 나서 나도 모르게 미소가 지어졌다.

아까의 일이 있기는 했으나, 나는 마치 우리 사이에 아무 일도 없었다는 듯 태연하게 그에게 인사했다.

"제국의 태양, 황제 폐하를 뵙습니다."

오늘 있었던 일로 그를 피하고 그에게 딱딱하게 구는 건 하책이라고 생각했다. 그게 무슨 의미가 있다고. 아까 조금 차갑게 굴기는 했지만, 그건 그가 정도를 넘는 행동을 했기 때문이었다.

어차피 저 남자는 나에 대한 마음을 포기하지 않을 거고, 그렇다면 그냥 이쪽에서 받아들이지만 않으면 되는 거다. 나는 그렇게 결론 내렸고, 레이놀즈는 눈살을 구겼다.

"여기까지 와서 그런 인사를 듣게 될 줄은 몰랐는데."

"주변에 아무도 없으니까요."

"그러니까 더더욱 할 필요 없지."

"폐하께서 계시는데 그럴 수는 없죠."

"……."

"이리 와서 별 보세요."

별이 아주 예뻐요. 속삭이는 내 말에, 레이놀즈는 천천히 내 곁으로 다가왔다. 그가 말없이 고개를 위로 올려 하늘 위를 멍하니 바라보았다.

나는 그의 입에서 '예쁘다'는 이야기가 나오기를 기대했지만, 그는 계속해서 보기만 할 뿐, 아무 말도 하지 않았다. 그가 별을 좋아하지 않는 건 아닌지 의심이 들게 할 정도의 침묵에 나는 결국 조심스럽게 물었다.

"안 예쁜가요?"

"······예뻐."

조금 후에 답이 나왔다.

그것이 무슨 의미인지 나로서는 모를 노릇이었다.

"예쁘네."

그렇게 말한 그가 고개를 내려 나를 바라보았다. 나는 별생각 없이 그와 눈을 마주쳤다가, 곧이어 들려오는 말을 듣고 얼굴이 빨개졌다.

"그런데 사실 유린이 더 예뻐."

"······."

"유린도 그렇게 생각하지?"

"여기서 긍정의 대답을 바라시는 건 아니죠?"

"맞는데?"

그가 느릿하게 입꼬리를 올려 미소 지었다.

"내 눈에는 그렇게 보이거든."

"······정말 주변에 아무도 없어서 다행이네요."

하녀들이나 시종들이라도 들었으면 부끄러워 죽었을 뻔. 나는 못 살겠다는 듯 눈을 가늘게 떴다.

"폐하는 전장에 많이 다니셨죠?"

나는 빠르게 말을 돌렸고, 그는 내 질문의 의도를 모르겠다는 듯한 눈빛으로 답했다.

"그랬지."

"그때도 이렇게 예쁜 밤하늘을 보신 적이 있나요?"

"……전쟁 중에 그런 생각을 할 만큼 여유롭지 않았어."

목소리가 묘하게 혼탁해서, 나는 그때서야 내가 주제를 잘못 꺼냈음을 알았다. 나는 빠르게 화제를 돌리려 했지만, 그보다는 레이놀즈가 좀 더 빨랐다.

"별이 가득한 밤하늘을 별로 안 좋아해."

의외의 이야기에 나는 눈을 동그랗게 뜨고 그를 바라보았다.

"왜요?"

"사람을 처음 죽인 날."

그가 담담하게 고백했다.

"밤하늘에 별이 쏟아질 듯 많았거든."

"……."

이런 이야기에는 도대체 어떤 반응을 보여야 하는 걸까. 나는 그 어디에서도 그런 것에 대해 배우지 못했다. 내가 당황하며 머뭇거리는 사이, 그는 내 얼굴을 보고선 피식 웃었다.

"무서운가?"

주어가 빠져 있지만, 그것이 누군지는 명백했다.

나는 솔직하게 주저했고, 그는 그럴 줄 알았다는 듯 입가의 미소를 짙게 만들었다.

"무섭겠지."

"……."

"나도 내가 무서웠어."

나는 도대체 이 이야기에 어떻게 끼어들어 반응해주어야 하는지 조금도 감이 잡히지 않았다. 하지만 이대로 침묵하는 것도 영 불편하기 짝이 없는 일이어서, 나는 처음으로 그에게 이 밤하늘을 보여주고 싶다는 생각을 후회했다. 그러다 그가 다시 물어왔다.

"내 부모에 대해 이야기해준 적이 있었던가?"

아, 드디어 대답할 수 있는 질문이 나왔다. 나는 총알처럼 답했다.

"아뇨, 폐하. 없었습니다."

"듣고 싶어?"

내가 대답하기도 전에, 그는 전제 하나를 달았다.

"만약 듣게 된다면, 날 따라 어쩔 수 없이 황궁에 가게 될 거야."

"……왜요?"

진심으로 이해가 가지 않아 묻자, 그가 나를 물끄러미 바라보다 입을 열었다.

"내 주변에 날 잡아줄 사람이 한 명도 없다는 걸 알게 될 거거든."

"……."

"유린은 착하니까. 나를 외면하지 못할 거야."

그가 미소 지었다. 하지만 진심이 담기지 않은 공허한 미소라는 것을 나는 빠르게 알아차렸다.

"내가 유린을 좋아하든, 좋아하지 않든 간에."

딱 봐도 어둑하고 음울하고 잔혹할 것 같은 뉘앙스가 풍기는 이야기였다. 나는 당황한 얼굴로 어둠보다 더 검은 그의 심연 같은 눈동자를 쳐다보았다.

그는 내가 이 이야기를 듣고 싶다고 말하기를 바랄까, 듣고 싶지 않다고 말하기를 바랄까. 그의 눈동자를 가만히 바라보던 나는, 머지않아 빠르게 그의 본심을 간파해 냈다.

'아.'

그것은 어렵지 않은 일이었다. 어둠에 가려 잘 보이지 않는 상황 속에서도, 그 눈동자에서는 그의 온갖 감정이 듬뿍 담겨 쏟아질 듯 부서져 내리고 있었기 때문이었다. 그런 눈에서 그의 감정을 읽어 내지 못하는 것이 어려운 일일 만큼.

나는 살짝 굳은 얼굴로 나를 응시하는 그를 똑같이 응시했다.

'둘 다구나.'

내게 털어놓고 안식하고 싶은 마음. 그리고 자신의 어두운 과거를 좋아하는 이에게 들키고 싶지 않아 하는 마음. 그 두 가지 감정이 너무나도 뚜렷하게 보여, 나는 어떻게 해야 좋을지 고민했다.

내가 여기서 어떤 대답을 꺼내든 그는 아쉬워할 것이다. 듣기 싫다 하면 안심하면서도 상처받을 것이고, 듣고 싶다 하면 기뻐하면서도 걱정할 것이다. 완벽한 대답을 낼 수 있는 질문이 아니었다.

나는 고민하다가 천천히 입을 열었다.

"듣고 싶어요."

그 말에 레이놀즈는 조금 놀란 눈치였고, 나는 가만히 미소 지으며 반복했다.

"듣고 싶어요."

"정말?"

나는 고개를 끄덕였지만, 레이놀즈는 거듭 물어왔다.

"후회할지도 몰라."

이상한 일이다. 왜 그의 말이 '후회할지도 몰라'가 아니라 '후회 안 했으면 좋겠어'로 들릴까.

"후회할 거야."

"먼저 이야기를 꺼낸 분은 폐하시잖아요."

할 말이 없어진 레이놀즈가 침묵했고, 나는 여전히 미소 짓는 얼굴이었다.

"고작 이야기 하나 듣는다고 후회 안 해요."

"설령 한다고 해도 그건 제가 판단할 일이죠."

"나한테 실망할지도 몰라."

그건 이해가 안 됐다. 부모의 이야기를 듣는데 어떻게 자식에게 실망을 할 수 있지? 나는 고개를 저었다.

"해도 폐하의 부모님께 해요."

"……"

"뭔지는 모르겠지만, 말씀해 보세요."

그의 눈을 빤히 바라보며 내가 재촉했다.

"어서요."

그 말에, 레이놀즈는 잠시 머뭇거리다 입을 열었다.

"내 부모는……."

그의 눈빛이 탁하게 흐려지기 시작했다.

"좋은 사람이 아니었어."

그건 이미 짐작하고 있던 내용이라, 딱히 놀랍지도 않았다.

부모님 이야기를 하는데 이렇게 머뭇거릴 정도면 좋은 사람은 아니라는 것이다. 적어도 남들이 보기에는.

"어머니는 나한테 관심이 없었어. 내가…… 원치 않게 태어나 버렸거든."

그게 무슨 뜻이지? 나는 이해할 수 없었다. 레이놀즈의 친모는 제국의 황후였다. 황후가 아이를 원치 않았다고? 그것도 사내아이를? 내가 영문을 모르겠다는 표정을 짓자, 레이놀즈는 머뭇거리다 입을 열었다.

"원치 않는 임신이었거든."

그 말에 담긴 함의를 파악하는 것은 어렵지 않았다. 나는 당황한 얼굴로 그를 쳐다보았다. 그러나 그는 그런 어마어마한 이야기를 하는 사람답지 않게 차분한 모습이었다.

"아버지는 어머니를 사랑했지만, 어머니는 아버지를 사랑하지 않았으니까. 나를 낳고 얼굴조차 보지 않으려 하셨다고 들었어. 자연스럽게 날 키운 건 황태자궁의 시녀들이었고, 아무것도 모를 때는 모든 아이들이 그렇게 자라는 줄 알았지."

"아……."

"어머니는 나한테 전혀 관심이 없으셨고, 이따금씩 마주칠 때면 날 증오의 눈빛으로 쳐다보셨어. 어렸을 때는 왜 어머니가 나를 그렇게 미워하는지 몰랐고, 시녀들에게 물어봐도 대답은 듣지 못했어. 대신 황후 폐하의 눈에 가급적 들지 말라는 이야기만 들었지."

"……."

"열 살쯤 되어서야 어머니가 어떤 경위로 황후가 되셨는지 알게 되었지만, 사실 그때도 어머니를 이해하지 못했어. 사실을 알고도 어머니를 이해하기에 나는 너무 이기적이었거든."

그는 쓴웃음을 지으며 덧붙였다.

"어머니는 내가 황제가 되기 3년 전에 돌아가셨는데, 죽어가면서까지도 나에게 원망의 말을 쏟아부으시더군."

그래도 죽기 전에는 생각이 좀 바뀌실 줄 알았는데.

그가 마지막으로 덧붙였고, 나는 아무 말도 할 수 없었다. 그는 그 말을 끝으로 침묵했고, 어머니에 대한 이야기는 이것으로 끝인 듯했다.

그리고 나는 예상치 못하게 듣게 된 침울한 이야기에 무슨 말을 해야 좋을지 도무지, 감이 잡히지 않았다. 무조건적으로 그의 어머니를 비난할 수 없는 문제니까.

나는 침묵한 채 입술만 달싹거렸고, 그는 그런 나를 이해한다는 눈을 했다.

"알아. 지금 무슨 말을 해야 할지 모르겠지?"

"……."

"아무 말도 할 필요 없어. 어머니를 원망하는 건 아니야. 그때는 어렸지만, 지금은 충분히 '그녀'의 심정을 이해할 수 있거든."

충격으로 머리가 띵해졌다.

얼마나 깊게 마음을 다스려야만 저런 말을 타인의 앞에서 스스럼없이 할 수 있을까. 나는 진심으로 걱정되어 물었다.

"……괜찮으세요?"

"안 괜찮아 보이나?"

"그렇다기보다는."

말이 다시 끊겼다. 저런 이야기를 하면서 과연 괜찮을 수 있을까? 상상조차 가지 않았다.

"괜찮을 수가 없을 것 같아요. ……저라면요."

"위로해 주는 거야?"

"고작 이런 걸로 위로가 되나요?"

"응."

그가 미소 지으며 고개를 끄덕였다.

"유린이 하는 말이라면 뭐든."

"……여긴 아무도 없고."

순간 목이 메는 듯한 기분이 들었다. 나는 힘겹게 말을 이었다.

"우리 둘뿐이잖아요."

"그래서?"

그가 지그시 나를 바라보며 내 쪽으로 몸을 숙였고, 은은한 그의 체취가 나를 감싸며 호흡기로 파고들었다. 나는 침묵하며 그 적막한 상황에 임했다.

"……."

그가 지금 무슨 생각을 하는지, 무슨 기분으로 나를 보는지, 전혀 알 수가 없다. 지금 이 주변처럼 완전히 깜깜한 기분이다.

"무슨 뜻으로 그렇게 말하는 거야?"

속삭여오는 숨결이 뜨겁다. 그가 진지하지 않은 의도로 내게 그런 말을 건네온다는 걸 알았지만, 그 속까지 같은 성질일지는 알 수가 없다. 그리고 나는 아닐 거라는 데 베팅했다.

"울어도 된다고요."

"제 앞이니까요."

나는 조용히 입술을 움직였다.

"원하신다면 뒤를 돌아 있을게요."

그는 내 말을 듣고도 울지 않았다. 그저 가만히 나를 쳐다보기만 했다. 나는 그가 왜 그런 눈으로 나를 바라보는지 궁금해졌고, 알고 싶어졌다. 하지만 그가 말해주지 않을 것 같다는 생각이 직감적으로 들었다. 그게 나를 슬프게 만든다는 걸, 그는 알까.

"유린."

어느 순간 그가 나를 불렀다. 나는 말 없이 그를 올려다보았다.

그는 아까와 다름없는 눈으로 나를 지그시 바라보고 있었다. 많은 감정이, 많은 것이 들어 있는 저 눈은 내게 무엇을 말하고 싶어 하는 걸까?

"내가 눈물 흘릴 일은 없어."

"……"

"그 이유에 유린이 없다면 말이야."

"과분하기까지 한 말씀이지만."

나는 가만히 고개를 저었다.

"폐하 스스로를 위해 우셨으면 좋겠어요."

"생각해 주는 건가?"

"그럼요."

"……고마워."

그가 다시 미소 지었다.

"그렇지만 적어도 지금은 아닌 것 같군."

그 말을 듣고 나는 다시 슬퍼졌고, 눈가는 뜨거워지기 시작했다.

'지금이 밤이라 다행이야.'

낮이었다면 그는 내 눈동자를 보고 설마 우는 거냐며 놀려 댔을지도 모른다.

'물론 지금 상황에서라면 안 그럴지도 모르겠지만……'

나는 눈을 깜빡거리며 눈에 고인 물들이 빠르게 증발하도록 도왔다. 내가 그를 동정한다고 여길까 봐 두려웠다. 그래도 다시 묻고 싶었다.

"……정말 괜찮으신 거, 맞죠?"

그가 아까 내 질문에 대답하지 않았기 때문에. 사실 이 또한 실례 된다면 실례되는 질문이었다. 그래도 나는 이 질문에 대한 답만큼 은 꼭 싶었다. 당신, 정말로 괜찮은 게 맞냐고.

하지만 그는 끝까지 답하지 않았고, 곧바로 두 번째 이야기를 시 작했다.

"아버지는……."

첫 소절부터 막혔다. 그는 막막한 표정을 지었다.

나는 직감적으로 그가 그런 표정을 짓는 것이 '아버지에 대한 기 억이 흐릿해서'가 아니라, 내게 어떻게 말해야 '최대한 덜 충격을 줄 수 있는지'를 고민하고 있어서라는 걸 알아차렸다.

'첫 번째 이야기도 충격적이었는데.'

이번 건 얼마나 더……. 나는 그의 입속에서 곧이어 흘러나올 말 이 도대체 무엇일지 걱정하면서도, 그런 말을 내게 해줘야만 하는 그의 마음은 얼마나 괴로울지 또한 걱정했다.

"전쟁을 좋아하시는 분이셨어."

"……."

"살육을 즐기셨거든."

그 말을 듣는 순간, 등골이 오싹해졌다.

"살인하는 순간처럼 기쁘고 쾌락적인 순간은 없다고 말씀하셨어. 그걸 합법적으로 풀 방법은 전쟁밖에 없었고, 그로 인해 아버지는 엘스워드의 영토를 기하급수적으로 늘리셨지. 모두가 그를 성군이라고 추켜세웠어. 살해 욕망을 채우기 위해 군사들의 사기를 북돋아 준다는 거짓말을 하고 적진에 나간 사람을 말이야."

꽤 객관적으로 아버지를 설명하는 레이놀즈의 얼굴은 지독하리만치 건조했고, 나는 그 모습을 보고 아무 말도 하지 못했다. 머릿속에서는 어쭙잖게 그를 위로해줄 말들만 빙빙 맴돌았다.

"그리고 아버지는 내가 당신의 전철을 밟기를 바라셨어."

"……어떻게요?"

그런 성질이 가지고 싶다고 가져지는 게 아닐 텐데. 나는 이해 가지 않는다는 표정을 지었다. 그런 내 모습을 보고 레이놀즈가 의미심장한 표정을 지어 보였다.

"학습시킬 수 있다고 생각하셨지."

"……학습이요?"

"그래."

레이놀즈가 고개를 끄덕이며 말을 이었다.

"내가 열두 살 때, 아버지는 지금의 루밍 지방을 정복하고 돌아오셨어. 그런데 황궁으로 귀환하신 날 밤에 나를 조용히 부르시더군. 그래서 갔지."

이 말을 마친 뒤에, 그는 조금 머뭇거리다 다시 말했다.

"아름다운 궁전 앞에서 포박당한 채로 무릎 꿇고 있는 수많은 포로들……."

그는 그때의 순간을 회상하는 것 같은 눈으로 중얼거렸다. 그리고 그 뒤에 이어지는 말은 가히 충격적이었다.

"아버지는 그날 내게 처음으로 살육을 명하셨어."

믿을 수가 없었다.

"……열두 살이었다면서요."

"맞아. 열두 살."

그가 고개를 끄덕였다.

"그때 처음 사람을 죽였어. 몹시 내키지 않았지만, 아버지는 내가 그러기를 몹시 바라셨거든. 별로 하고 싶지 않다고 하니까, 황명을 내세우시면서 엘스워드에 반항한 역도들을 죽이라고 하셨어. 훌륭한 군주가 되려면 황권에 위협이 되는 자들을 없앨 줄도 알아야 한다면서."

아무리 그렇다고 해도 그때의 레이놀즈는 열두 살의 소년이었다. ……너무 어리다.

'열 살 때 출생의 비밀도 알았다면서.'

열두 살 때는 그런 일까지……. 나는 참담함에 말을 잇지 못했다. 그가 이렇게 자라준 게 놀라울 정도로, 믿을 수 없이 불행한 유년 시절이었다.

'나라면 아마 미쳐 버렸을 거야.'

견디지 못했을 것이다. 고작 열 살배기 아이가 어떻게 그런 충격을 견딜 수 있었을까. 나는 머리를 망치로 세게 얻어맞은 사람처럼 넋이 나간 사람의 얼굴이 되었다.

그러나 놀랍게도, 그 이야기를 하는 레이놀즈의 모습은 더없이 차분해 보였다. 마치 그 사실 자체에 익숙해지고 무디어진 사람처럼 보여서 나는 겁이 났다. 처음으로 그가 무서워질 정도였다.

"그게 내 첫 살인이었고, 그때도 이렇게 별이 많았어."

"……."

"그래서 나는 별이 뜬 밤하늘을 별로 안 좋아해. 그때, 상당히 내키지 않았었거든."

'세상에……'

너무나도 충격적인 이야기들을 연달아 두 개나 들었다. 혹시라도 그의 안 좋은 기억들을 건드릴까 봐, 그래서 그가 오늘 밤 지독한 악몽이라도 꿀까 봐 걱정스러워졌다. 그가 악몽을 꾸는 것을 본 적은 한 번도 없었지만, 그런 기억을 가지고 있다면 꾸지 않는 것이 더 이상한 일이다. 나는 조심스럽게 물었다.

"이만…… 들어갈까요?"

레이놀즈는 나를 빤히 바라보기만 할 뿐 가타부타 말이 없었다. 그 모습을 보면서 나는 조용히 입을 다물었다.

'눈빛을 나름 잘 읽는다고 생각했는데.'

그 또한 착각이라는 것이 그 순간 드러났다.

'마음이 읽히지 않아.'

무슨 마음으로 나를 보고 있는지, 내게서 무엇을 두려워하고, 무엇을 기대하는지 전혀 알 수가 없어졌다. 그의 눈동자에서 읽을 수 있는 건 오로지…….

'건조한 슬픔.'

그것 하나뿐이었다. 그토록 메마른 형태로 그 끔찍한 슬픔을 드러낼 수 있다는 사실을 그때 처음 알았다. 나는 가만히 서서 그의 대답을 기다렸지만, 대답은 들려오지 않았다.

그는 나의 질문을 잊고 내게만 완전히 몰입하는 사람이 되었다. 무언가를 말하고 싶은 얼굴이면서, 오래토록 침묵을 유지하고 싶어 하는 눈빛을 보니 더 질문할 의지가 사라졌다.

"……."

나는 조용히 그에게 다가갔다. 여전히 그의 시선은 곧게 뻗어 내게 박혀 있었다. 심장에 박힌 시선의 주인에게로 한 걸음씩 다가가면서, 나는 어떤 형태의 위로보다 한 번의 포옹이 가장 큰 위로가 될 거라는 결론을 얻었다.

부디 내 결론이 맞는 것이기를 바라면서, 나는 말 없이 그를 안았다. 그는 목석처럼 내 품에 안겼다. 아무렇지 않아 보였지만, 그 어느 때보다 그에게 힘이 없는 순간이라는 걸 포옹의 순간 눈치챘다. 나는 아무 말도 하지 않고, 가만히 눈 감은 채로 그를 꼭 안아 주기만 했다.

'힘이 다 빠졌을 만도 하지.'

그런 끔찍한 이야기를, 두 개나 연이어 말했는데.

그에게 무슨 말을 하든 유의미한 위로로 가 닿지 않을 것 같다는 생각이 들어서. 어린 시절의 레이놀즈에게는 이렇게 말없이 안아 줄 사람이, 지금까지도 필요할 것 같다는 생각이 들어서.

'아직까지도 이 남자에게는 그런 사람이 나타나지 않았구나.'

사실, 이보다 더 나은 위로를 해줄 자신이 없었다. 이 이상은 내게 너무나도 벅찬 일이었다.

"내가 무서워?"

한참 후에 그가 내게 물어온 말이었다. 목소리는 덤덤했지만, 쓴맛이 느껴졌다. 나는 빠르게 대답했다.

"아뇨."

"이야기를 들은 걸 후회해?"

"아뇨."

"나와 함께 있고 싶지 않아?"

"아뇨."

세 번의 부정 끝에, 나는 그의 가슴에 얼굴을 묻고 말했다.

"왜 그런 질문을 하시는지 모르겠어요."

"나는 좀 후회했어."

"뭘요?"

"괜히 이야기했나 싶어서."

"왜요?"

"날 싫어할까 봐."

"안 싫다고 말씀드렸잖아요."

균형을 맞추듯이, 나 또한 물기 없는 목소리로 말했다. 지만 목소리에 스며들어야 할 물들이 전부 눈으로 가버린 듯, 눈가는 시큰거렸다.

"안 싫어해요."

"……왜?"

"왜라뇨."

나는 울컥한 목소리로 물었다.

"제가 폐하를 싫어하기를 바라세요?"

"그렇다기보다는."

여전히 담담한 목소리는 그 안의 감정이 켜켜이 쌓여 본질을 정확히 알 수 없는 것처럼 들렸다. 그게 내 마음을 더 아리게 만든다는 걸 그는 알고 있을까.

"당연히 싫어할 거라고 생각했어."

"어째서요?"

"저주받은 출생과 좋지 못한 성장 과정."

"……."

"결국 좋지 못한 존재로 그대를 만났으니까."

"폐하."

그런 말이 어디에……! 내가 울컥한 얼굴로 입술을 질끈 깨물었다.

"어미의 증오로 태어난 나를, 결국 부황의 전철을 그대로 밟는 나를 좋아할 리 없잖아."

"폐하……."

"그렇지, 유린?"

그렇게 물으면서 그가 나를 쳐다보았다. 동의를 묻는 게 이렇게 슬플 일인지는 처음 알았다.

'왜 저런 질문을 하는 걸까.'

저런 사실에 동의를 얻고 싶어 하는 사람은 아무도 없는데. 아무도 없다는 걸 누구보다 잘 알고 있는데. 나는 어른 앞에서 혼나는 어린아이처럼 입술을 꾹 깨물고 재차 고개를 저었다.

"낮에도 말씀드렸잖아요."

"싫지 않다고."

"이제 상황이 달라졌잖아."

"달라진 거 없어요."

여전히 그를 안은 채로 나는 고개를 저었다.

"그냥 폐하의 불행한 가정사를 알게 된 것."

"그거 하나뿐인걸요."

"그걸로 달라질 거야."

"그게 뭔지는 모르겠지만."

나는 담담히 말했다.

"적어도 제가 폐하를 보는 시선이 달라질 일은 없어요. 폐하는 그냥 폐하시고, 저는 폐하께서 하신 일로만 폐하를 바라볼 거예요."

"……."

"그러니까 달라지는 건 없어요."

"거짓말."

"폐하의 출생은 폐하의 의지가 아니었어요. 누구도 자의로 태어남을 결정짓지는 못해요."

그 이후의 일도, 사실은 그렇다.

"살인자의 아들이 꼭 살인자가 되지는 않아요. 상관관계는 있을 수 있지만, 인과관계는 아닌걸요."

"그럴 가능성이 높잖아."

"가능성은 가능성일 뿐이에요."

나는 천천히 눈을 감았다.

"단정 짓고 싶지 않아요."

그게 당신과 관련된 일이라면 더더욱.

"폐하께서는 스스로가 아버지와 똑같다고 생각하세요?"

"……점점 더 그렇게 변한다고 느껴."

"그럼 그전에 바로잡으면 되겠네요."

나는 아무 문제도 없다고 말한 뒤에, 천천히 그에게서 떨어졌다. 다시 마주하게 된 그의 눈동자는 아까의 내 것을 닮아 있었다. 금방이라도 울어 버릴 것 같은 여리고 약한 눈. 늘 강인하게만 여겨졌던 그의 눈동자가 이렇게 약해 보이던 건 이번이 처음이었다.

상처받은 것 같은 갈라진 눈빛도.

누가 보면 내가 그를 이렇게 만든 줄 알겠다고 생각하면서, 나는 일부러 더 아무렇지 않은 목소리로 말했다.

"아직 늦지 않았어요. 젊으시니까."

"……."

"그리고 선황과 같은 수준도, 제가 보기에는 아니에요."

그럼 말콤을 죽인 후에 나를 보며 웃었겠지. 그리고 나까지 죽였겠지. 그가 정말로 선황과 같은 전철을 밟고 있다면 말이다. 하지만 그는 부정하는 투로 대꾸했다.

"속단하면 안 될 텐데."

"저 그렇게 함부로 판단 내리는 사람 아니에요."

지금 그를 위로하는 건 이런 담담함일 거라고 나는 믿었다.

"폐하보다는 제가, 폐하를 좀 더 냉정하게 볼 수 있지 않겠어요?"

"……."

"저를 믿으세요. 선황이 아니에요, 폐하는."

그가 말없이 입술을 깨물었고, 나는 조심스럽게 그의 아랫입술로 손가락을 가져가 댔다. 자연스럽게 그가 입술을 깨물지 못하게 되어 버렸다. 그가 나를 쳐다보았고, 나는 웃으며 말했다.

"상황이 바뀌었다면, 제게 이러셨겠죠."

"……."

"정반대의 입장이었다면, 폐하는 저를 싫어하실 건가요?"

"무슨 뜻이야?"

"원치 않게 태어나, 원치 않는 살인을 한 저를 싫어하실 거냐고
여쭈었어요."

"……그런 일로 유린을 싫어한 적은 단 한 번도 없는데."

나는 것 보라는 듯 어깨를 으쓱거렸다.

"폐하도 그러시는데, 저는 못 할 이유가 있나요?"

"유린을 싫어할 일은 없어. 어떤 상황에서든 절대로."

"저는 어떤 상황에서는 폐하를 싫어하지 않을 거라고 장담할 수
는 없지만."

나는 느릿하지만 또박또박하게 내 생각을 전해 나갔다.

"적어도 지금 이 순간에서는 아니에요. 폐하를 싫어하게 된 것도,
폐하께 실망하게 된 것도 아니라고요. 제 말, 알아들으시겠어요?"

"……."

"그러니까."

순간 숨이 턱 막혀 오는 바람에, 나는 이를 악물고 간신히 말을
맺었다.

"그런 눈, 안 하셔도 돼요."

나는 조심스럽게 그의 볼을 쓰다듬었다.

"……괜찮아요."

사실은 이게, 그에게 가장 해주고 싶었던 말이었다.

"괜찮아요."

당신의 잘못이 아니야.

"고생했어요."

그 어떤 것도.

"버텨줘서 고마워요."

그 모든 일을.

"……"

그가 입술을 깨무는 모습이 보였지만, 이번에는 입술을 매만져 줄 수가 없었다. 핏방울이 맺힐 때까지 입술을 깨물면서 울지 않으려는 모습이 안쓰럽게만 보여서, 나도 같이 울고 싶어졌다.

어느 순간부터는 입술을 깨무는 것이 효력을 잃기 시작했다. 그가 잇새로 새어 나오는 흐느낌을 삼키기 위해 이를 꽉 깨물었지만, 그 조용한 밤이 그 사이를 다시 벌려 놓았다. 이런 상황에서 내가 할 수 있는 일이란 게 고작 부드럽게 그의 뺨을 매만져주는 것뿐이라니. 싫었다.

나는 어느 순간 천천히 그를 끌어 품에 안았다. 어쩌면 내가 보고 있어서 마음껏 울지 못할지도 모르겠다는 생각이 들어서였다.

흐느낌이 멎어든 것은 한참이 지난 후였다. 차가운 밤바람이 저택에서 품고 왔던 온기를 전부 잡아먹고도 남은 시간이었지만, 생각처럼 춥지는 않았다.

다만 그가 걱정이었다. 원체 몸이 차갑던 사람이었으니까.

"추우시죠?"

슬픔 후의 어색한 분위기를 풀기 위해 아무렇지 않게 던진 질문에, 그는 말없이 고개를 저었다. 하지만 거짓말일지도 몰라서, 나는 그 모습을 못 본 것처럼 말했다.

"그래도 감기 걸리시면 안 되니까 이만 들어가요."

"……"

"별 구경은 충분히 했잖아요?"

그 말과 함께 나는 씩 웃었다. 어느새 눈물은 그쳤지만, 눈동자는 빨갛게 분명한 레이놀즈가 나를 응시했다. 그가 나를 바라보는데도 긴장이 되거나 심장이 거세게 뛰지 않은 건 이번이 처음인 것 같다는 생각이 불현듯 들었다.

'그리고 이렇게 먹먹한 기분이었던 것도.'

사실 그건 처음이라기보다는 두 번째였다.

'최초의 먹먹함은 첫 만남 때였지.'

그래도 그때 역시 이 정도 수준은 아니었다.

"아……"

천천히 몸을 돌려 저택으로 가려던 찰나였다. 레이놀즈가 앞서 나가던 내 손목을 아프지 않게 붙잡았고, 나는 무슨 문제라도 있느냐고 묻기 위해 뒤를 돌았다.

평소의 장난기라고는 찾아볼 수 없는 얼굴로 그가 나를 응시했고, 그 진지함에 내 입술은 굳게 다물렸다. 할 말이 있는 눈치여서 나는 인내심 있게 그의 입이 열리기를 기다렸다.

"이런 나를 구원할 수 있는 방법은 딱 하나뿐이야."

뜬금없다고 봐도 좋을 그 한 마디가, 화살처럼 날아와 가슴에 콱 박혀 들었다.

"황궁에 같이 가줘."

"……폐하."

"저택으로 돌아가는 날, 그때 답을 듣고 싶어."

곧게 뻗어 나오는 시선이 꿰뚫을 듯 나를 향했다.

나는 당황스러움에 무의식적으로 입술만 축였다.

"기다릴게."

간절하게 말하는 목소리에서 파르르, 진동이 느껴졌다. 공명하듯 내 심장도 빠르게 뛰기 시작했다.

2

Decision

어떻게 방까지 와서 어떻게 침대 위에 누웠는지 모르겠다.

몸을 쭉 뻗고 누운 뒤에 멍한 얼굴로 아까 들었던 이야기만 계속 떠올렸다. 솔직히 범상치 않은 가정사를 가지고 있을 거라고 짐작은 했지만, 그 정도로 충격적일 줄은 몰랐다.

원치 않게 낳게 된 아들을 증오하는 어머니와, 자식에게 살인을 종용하는 아버지라니…….

'괴롭게 자랐구나.'

참 안쓰럽다고 생각하던 나는 순간적으로 웃음을 터뜨렸다. 자조였다.

'세상에, 누가 누굴 동정하는 거야.'

다른 사람도 아니고 내가 그런 생각을 할 줄은 몰랐다.

'적어도 부모에게 버려져 보육원에서 자란 내가 할 소리는 아

니지.'

나는 빠르게 고개를 저었다. 다른 생각을 하기로 했다. 하지만 지금 내 생각을 붙잡고 있는 게 그것뿐이라, 생각은 다시 원점으로 되돌아왔다.

"황궁에 같이 가자고⋯⋯."

엘스워드에서 눈을 뜬 지 일 년이 조금 못 됐다. 새로 생긴 가족을 사랑하지 않는 건 아니지만, 그게 황궁으로 떠나지 못하게 하는 결정적인 이유는 아니었다.

'마음에 걸리는 게 안정적인 생활이나, 가족에 대한 그리움 따위는 아냐.'

어차피 레이놀즈가 평생 황궁에 있으라고 한 것도 아니고. 그런 게 문제가 되는 건 아니었다.

'황궁까지 가서도 우리 관계가 여전할까?'

그는 나를 좋아하고 나는 그를 받아들일 수 없다. 사적인 감정을 배제하고 황궁에 간다고 하더라도, 내게 끝까지 그를 좋아하지 않을 자신이 있을까?

'자신이⋯⋯.'

⋯⋯모르겠다. 솔직히 이 문제는 답을 알 방법이 없다.

'그건 그때 가봐야 알 일이니까.'

지금 아무리 그에게 빠져들 자신이 없다고 결론 내려 봤자, 황궁으로 가면 마음이 또 바뀔지 누가 알겠어? 나는 감정이란 놈의 변덕스러움이 무서웠다.

'그리고 생각한 대로 굴러가지 않는 게 마음인걸.'

그렇다고 해서 또 가지 않기에는 이것저것 마음에 걸리는 게 많았다. 첫 번째로 이대로 레이놀즈와 헤어지는 게 아쉬웠다. 별다른 사심이 있어 그러는 게 아니다. 그를 옆에서 보좌하며 그가 올바른 길로 걸어갈 수 있도록 돕고 싶었다.

'그리고 무엇보다……'

아까 그가 남겼던 말이 계속 머릿속에서 맴돌았다.

'이런 날 구원할 수 있는 방법은 딱 하나뿐이야.'

그 하나가 나일 거라고는 생각하지 않는다. 설마 내가 그를 '구원해줄 수 있는' 어마어마한 사람일 리가.

과대평가도 이런 과대평가가 없다. 그가 내게 품고 있는 마음이 무엇이든 간에 그건 과장이다. 정말로.

'구원이라니.'

그런 거창한 거 말고, 좀 더 작은 건 도와줄 수 있을 것 같은데.

'이를테면 행동 교정이라던가……'

아, 이런 말은 사람한테 쓰기에는 좀 안 맞나.

'어쨌든……'

이대로 그냥 레이놀즈를 보내면 많이 생각날 거 같긴 하다. 내게 보여주었던 흔들리는 눈빛과 불안정한 감정이.

'그렇다고 해서 황궁으로 같이 가기에는 내 감정을 못 믿겠고.'

진퇴양난이다. 나는 한참을 어떻게 해야 좋을지 고민하다가, 결국 그대로 잠이 들었다.

🌿 🌿 🌿

그럴 때가 있다. 잠에서 깨어나면 자연스럽게 고민이 풀리고 문제가 해결되는 때.

"……각서를 써야겠어."

그게 일어나자마자 내가 내뱉은 첫말이었다. 나는 잠에서 덜 깬 눈으로 침대 위에서 일어나 방 밖으로 나갔다. 어제 드레스를 입고 그대로 잠이 들었던 탓에 잠옷 차림은 다행히 아니었다.

나는 걷고 또 걸어서 식당에 도착했고, 관리인 부부는 아침 식사 준비 중이었다. 그리고 레이놀즈는 나보다 일찍 일어났는지 벌써 식탁 앞에 앉아 있었다.

"아, 아가씨."

에이미가 나를 보고 깜짝 놀라는 모습이 보였다.

"일어나셨어요? 부르시지 않고……."

에이미의 말에 모두의 시선이 내게로 향했다. 나를 본 관리인 부부가 환하게 웃으며 내게 아침 인사를 건넸다.

"일어나셨군요, 아가씨."

"새벽에 비가 내려서 눈이 많이 녹았답니다."

"네, 맞아요. 오늘 출발해도 괜찮을 거 같아요."

"물론 더 있다 가셔도 됩니다."

일어나자마자 이런 반가운 소리라니. 나는 두 사람에게 환하게 웃어 보인 다음 레이놀즈에게로 갔다. 빤히 나를 바라보는 시선이 어제의 그것보다는 조금 안정된 분위기다. 다행스럽게도.

"할 말이 있어요, 레이."

나는 자연스레 그에게 말을 걸었고, 그는 그런 내 행동에 조금 놀란 듯했다. 하지만 곧 말없이 자리에서 일어나 조용히 내게 물었다.

"내 방으로 갈까?"

·

·

·

"어제 물어보신 거, 곰곰이 생각해 봤어요."

나는 덧붙였다.

"어젯밤 내내요."

"결심이 섰으니까, 날 불렀겠지?"

"네."

고개를 끄덕이면서, 나는 결심의 내용을 말했다.

"따라갈게요."

"황궁."

"진심이야?"

퍽 놀란 목소리에 내가 어깨를 으쓱이며 물었다.

"싫으시면 안 갈게요."

"아니, 아니."

그가 다급하게 나를 붙잡았다.

"그럴 리가, 유린."

빙긋 미소 지으며 레이놀즈가 물었다.

"어쩌다 마음잡은 건지 물어봐도 되나?"

"……따라가는 대신 조건이 있어요."

나는 말을 돌리며 대답을 피했다.

"그걸 들어주셔야 갈 거예요."

"뭐든."

뭐든 못 들어줄 게 없다는 목소리다.

"전부 말해, 유린."

"그전에."

나는 그의 눈동자를 바라보며 물었다.

"저 좋아하신다는 말, 진심이에요?"

"……황제의 이름으로 맹세할 수 있어."

진심이구나. 나는 얼떨떨한 얼굴로 고개를 끄덕였다.

"그럼 한 가지 더."

이번 질문은, 조금 머뭇거렸다.

"보고만 있어도 좋아요?"

"당연하지."

그렇게 말하면서 레이놀즈가 싱긋 웃었다.

……아침부터 왜 이렇게 쓸데없이 상큼해.

"바라보는 것만으로도 행복해."

"……."

나는 순간 넋을 잃고 그의 미소를 바라보았다가, 심장이 쿵쿵 뛰기 시작한다는 걸 알아차리고는 애써 헛기침했다.

아, 미치겠네. 왜 이렇게 시도 때도 없이 잘생긴 건데.

"좋아요. 그럼."

얼굴까지 붉어지기 전에, 나는 빠르게 본론을 꺼내 들었다.

"말씀드릴게요."

"뭐든, 유린."

"첫 번째."

나는 손가락 한 개를 펴 올리며 말했다.

"제 이름 부르지 마세요."

"……그게 조건이야?"

"'첫 번째' 조건이요."

나는 빙긋 웃으며 어깨를 으쓱였다.

레이놀즈의 표정이 썩어들어간다.

"두 번째는?"

"과한 신체접촉 금지."

"과한…… 세 번째."

"세 번째는……."

……아직 생각 안 해봤는데. 나는 고민하다가 아무거나 말해버렸다.

"저 유혹하지 마세요."

……아, 이건 괜히 말했나. 나는 슬그머니 레이놀즈의 눈치를 보았다. 다행히 황당해 하는 기색은 아니었다. 아쉬워……하는 눈빛? 아아, 어느 쪽이든 영…….

"조건은 그게 다야?"

"네."

아마도?

"부족하면 추가할까요?"

"절대."

그가 기겁했다.

"세 개 다 별로네."

"그러니까 조건이죠."

"좋은 조건일 순 없는 거야?"

"저도 안전장치는 필요해서요."

"무슨 안전장치?"

나는 잠깐 침묵하다 입을 열었다.

"폐하께 반하지 않을 안전장치요."

"……썩 듣기 좋은 소리는 아닌데."

"폐하가 계속 신경 쓰이는데, 입궁한 뒤에도 마음이 그대로일 자신이 없어요."

내 말을 듣고 레이놀즈는 퍽 놀란 눈치였다.

'아, 너무 솔직했나.'

그렇지만 어떡해.

'그게 사실인데.'

그래도 괜히 넘겨짚을까 봐, 나는 빠르게 한마디를 뒤에 덧붙였다.

"폐하께서 자꾸 제게 그러시면 그럴 거 같다는 소리예요."

"어느 쪽이든 간만에 듣기 좋은 소리네."

"중요한 건, 그러시지 말라고요."

나는 담담하게 말했다.

"그 불안감 때문에 폐하를 그냥 두기에는."

나는 거기서 잠시 말을 끊었다가, 다시 이었다.

"외람된 말씀일 수 있지만."

"신경이 쓰여서요."

그 후에, 나는 빠르게 고개를 젓고 정정했다.

"신경 쓰일 것 같아서요."

"앞으로 계속."

"왜."

그가 나를 지그시 바라보며 물었다.

"신경이 쓰일 것 같은데?"

"……버려진 고양이 주워본 적 있으세요?"

내 질문에 레이놀즈는 잠시 멈칫했다가 고개를 저었다.

"저번에도 말씀드린 적 있는데, 저는 있어요."

"맞아. 기억나."

그가 고개를 끄덕였다.

"그래서 1년 동안 길렀다고 했잖아."

"……."

"죽을 때까지."

"네."

나는 마른 침을 삼키며 말했다.

"그런 거예요."

그렇게 말한 뒤에, 나는 주저하면서 덧붙였다.

"불경했다면 사과드립니다."

"……아냐."

그가 의미심장한 표정을 지으며 말했다.

"별로 불경하지 않았어."

"……어쨌든."

나는 뒷머리를 긁적이며 말했다.

"제가 그때 그 고양이를 보면서 지금과 똑같은 생각을 했거든요."

"그냥 가면 후회할 거 같다고."

"좋은 생각이야."

그가 손가락으로 '딱' 소리를 내며 말했다.

"좋은 선택이고."

"제 신택에 후회가 없게 해주세요."

나는 간절하다시피 한 목소리로 말했다.

"진심으로요."

"그럴 거라고 자신해."

너무 자신만만한 건 또 불안한데. 내 눈이 가늘어졌다.

"노력해 볼게."

"자신한다고 하셨잖아요."

"아니. 그거 말고."

그가 고개를 저으며 정정했다.

"세 가지 조건."

"……네. 모쪼록."

나는 떨떠름한 얼굴로 고개를 끄덕였다.

'아, 그럼 이제 다 끝난 건가?'

이렇게 빨리 끝날 줄은 몰라서, 나는 어색함에 이마만 긁적였다.

그러다 문득 어젯밤의 일이 떠올라서 무의식적으로 입을 열었다.

"어제는……."

내가 조심스럽게 물었다.

"괜찮으셨어요?"

"바뀐 거 같은데."

그가 피식 웃으며 물었다.

"내가 물어야 할 질문 아닌가?"

"아……."

나는 머뭇거리다 고개를 끄덕였다.

"전 괜찮죠. 당연히."

"……."

"안 괜찮을 이유, 없으니까."

"원래 이런 성격이었나?"

"'이런' 성격이요?"

"……아냐, 아무것도."

그가 빙긋 웃으며 말을 돌렸다.

"좋은 성격 같다고."

뭐…… 딱히 그렇게 생각해본 적은 없는데. 나는 머쓱하게 웃었다.

"감사합니다."

똑똑. 그때 바깥에서 노크 소리가 들려왔다.

"실례합니다만, 아침 식사 준비가 다 되어서요."

에이미였다. 나는 레이놀즈와 잠깐 마주 보았다가, 어색하게 웃으며 물었다.

"가시겠어요?"

그 질문 뒤에도 나를 빤히 바라보던 그가, 잠시 후 고개를 끄덕였다.

"좋아."

❦ ❦ ❦

"오늘 출발하실 건가요?"

관리인 아주머니의 질문에 내 시선은 자연스럽게 레이놀즈에게로 향했다.

"어떻게 할까요, 레이?"

"상관없어."

"으음……."

"새벽에 눈이 다 녹아서, 길이 많이 미끄럽지는 않을 것 같아요. 편하실 대로 하세요."

고민하던 내게 관리인 아저씨가 말을 보탰고, 나는 고개를 끄덕였다.

"아침만 먹고 바로 출발할게요."

비가 내린 게 다행이라면 다행이었다. 여기서 꼼짝없이 며칠 동안 발이 묶이나 싶었는데.

"아까 폐하랑 무슨 이야기 하셨어요?"

간단한 짐을 싸면서 에이미가 물어왔다. 침대 위에 앉아 다리를 까닥거리던 나는 그 질문에 소스라치게 놀랐다. 잘못한 것도 없는데, 잘못한 사람처럼.

"응……?"

"아니 아까 폐하랑 잠깐 나가셨잖아요. 그때 무슨 이야기 하셨는지 궁금해서요."

"……별 이야기 아니었어."

나는 이마를 긁적이며 둘러댔다.

"그냥……."

아니지. 이 정도면 중요한 이야긴데. 무려 집을 떠나겠다는 이야기잖아. 못해도 1년간은.

'에이미는 나랑 같이 가려고 할까?'

내가 조용히 에이미를 불렀다.

"에이미."

"네, 아가씨."

"있잖아, 날 따라서 수도에 갈 생각에 있어?"

"수도요?"

그 무슨 뜬금없는 소리냐는 듯 에이미가 물어왔다.

"갑자기 수도는 왜요?"

"음, 그러니까……."

역시 미리 말해주는 게 좋을 것이다. 이번 달 안에 나는 떠날 거고, 그럼 지금 말해도 촉박한 일정이니까.

"사실 얼마 전에 폐하께 제의를 받았어."

엄밀히 말하자면 '얼마 전'도 아니고 '어제'였다.

'세상에, 그런 중대한 결정을 고작 하루 만에 내리다니.'

나도 참 대단한 건지 대책 없는 건지…….

"무슨 제의요?"

"시녀로 입궁해달라는 제의."

이렇게만 말하고 보면 참 담백한데 말이지. 내가 콧등을 긁적이며 말을 이었다.

"그리고 나는 수락했고."

"아, 정말요?"

에이미가 깜짝 놀라며 말했다.

"말씀 안 해주셔서 몰랐어요."

"……말할 틈이 없었어."

그거, 나도 어제 듣게 된 제의거든.

'나도 이렇게 빨리 결정하게 될 줄은 몰랐지만……'

계속 고민해봤자 특별히 달라지는 게 있을 것 같지도 않고. 괜히 질질 끌어서 뭐하겠어.

"지금이 가장 빨리 말하는 거야."

"으음…… 알겠어요."

"같이 가는 거야?"

빠르게 나온 대답에 내가 당황하자, 에이미가 당연하다는 듯 말했다.

"당연하죠. 저는 아가씨의 하녀인걸요. 어딜 가시든 따라가는 게 도리죠."

"진짜 고마운 대답이네."

"짐은 언제까지 싸야 해요?"

"아직 가족들에게도 말 안 했어."

"맙소사. 제가 최초 고백이에요?"

"어쩌다 보니."

"영광이네요."

그 말에 나는 피식 웃으며 어깨를 으쓱였다.

"그보다 언제 출발이에요?"

"아마…… 폐하께서 환궁하실 때?"

"아, 같이 가시는 거군요."

"아마도."

사실 확정적으로 말한 건 없었지만, 왠지 그럴 거 같았다. 따로 이동하는 게 불편할 거 같기도 하고.

"그럼 촉박한데요. 보름도 안 남아서……."

"짐을 많이…… 가져가지는 않을 거 같은데. 간소하게 챙기는 건 안 될까?"

"다른 데도 아니고 황궁인데요. 가져갈 건 웬만하면 가져가야죠."

"그건 그래."

나는 일리가 있다는 듯 고개를 끄덕이며 말했다.

"돌아가서 바로 준비하면 그래도 괜찮지 않을까?"

"날짜 맞춰 볼게요."

에이미가 빙긋 웃으며 내게 말했다.

"이만 나가 볼까요?"

.

.

.

마차는 생각보다 평탄하게 굴러갔다. 눈이 녹으면서 길이 미끄러우면 어쩌나 걱정했는데, 다행히 그런 일은 없었다.

"환궁하실 때 저도 같이 가게 되는 건가요, 그럼?"

"편할 대로."

레이놀즈가 어깨를 으쓱였다.

"나로서는 그게 좋지. 조금도 안 떨어질 수 있으니까."

"……"

이런 말은 제재를 해야 돼, 말아야 돼? 유혹이야, 아니야? 나는 고민하다가 아닌 걸로 결론 내렸다. 아, 이럴 줄 알았으면 조건에 솔직한 감정표현 금지도 추가할걸.

'아냐. 아직 안 늦었어.'

나는 큼큼 헛기침을 한 다음 입을 열었다.

"아까 제가 걸었던 조건 기억하세요?"

"무슨 조건?"

뭐야, 이제 와서 딴소리하기 있기, 없기? 나는 눈을 가늘게 뜨며 아까의 기억을 친절히 상기시켜 주었다.

"세 가지 조건이요. 호명 금지, 스킨십 금지, 유혹 금지."

"……아아, 그거."

레이놀즈는 영 마뜩찮은 목소리였지만, 나는 물러날 생각이 없어서 강경하게 나가기로 했다.

"각서를 써요."

"각서? 무슨 각서?"

"네. 그 조건 꼭 지키시겠다는 각서."

나는 고개를 끄덕인 다음 덧붙였다.

"조건 하나 추가해서요."

"……네 번째 조건?"

"네. 네 번째 조건요."

"너무 빡빡한데."

그가 눈살을 찌푸리며 물었다.

"내용이 뭐지, 그건?"

"지나치게 솔직한 감정 표현 금지."

"그건 너무 잔인하잖아."

그가 버림받은 강아지 눈을 하고 날 쳐다보았다. 윽, 저런 눈빛 나 진짜 약한데……!

"감정 표현도 하지 말라고?"

"아뇨. 그럴 리가."

나는 입장 표현을 명확히 했다.

"'지나치게 솔직한' 감정 표현이요."

"이를테면?"

"아까처럼."

나는 헛기침을 한 다음 아까 들었던 말을 똑같이 따라 했다.

"나로서는 그게 좋지. 조금도 안 떨어지니까."

"……."

"……이런 것들?"

"설마 방금."

그가 몸을 느릿하게 앞으로 숙이며 물었다.

"나 따라 한 거야?"

"……."

"……큭."

"웃지 마세요."

민망해진 내가 얼굴을 빨갛게 물들였다. 아, 쪽팔려, 쪽팔려, 쪽
팔려!

"연기에는 재능이 없네."

저도 알거든요.

"그런 것까지 규제해야겠어? 이건 좀 무리인 거 같은데."

"왜요?"

"기준이 딱히 정해진 게 아니잖아."

"알아요. 그래도 어쩔 수 없어요."

저도 최소한의 안전장치는 마련해 둬야 해서.

"그래도 제가 상식적인 선에서 적용하도록 할게요."

"만약 불이행하면 어떻게 되는 거지?"

"곧바로 사토르디로 되돌아올 거예요. 하나라도 위반하시면요."

"매정하긴."

"각서에 적힌 내용만 잘 지키시면 되는데요, 뭘."

그럼 떠날 일도 없고. 그렇게 말하면서 나는 빙긋 웃었다.

"저택에 돌아가자마자 쓰는 것으로 해요."

"……."

"싫으세요?"

"······아니."

그가 콧잔등을 찡그리며 하는 수 없다는 목소리로 말했다.

"원하는 대로 다 해."

❦ ❦ ❦

저택으로 돌아오자마자, 우리는 함께 각서를 작성했다.

"자."

내가 씩 웃으며 레이놀즈의 앞으로 종이를 내밀었다.

"이제 여기 서명해주시면 됩니다, 폐하."

그는 끝까지 마음에 들지 않는다는 표정으로, 슬그머니 내 눈치를 보다 물었다.

"이거, 꼭 해야겠어?"

"네."

"······단호하긴."

"아까 마차 안에서 그러기로 하셨잖아요, 저랑."

"재고의 여지는 없고?"

"저 그냥 가지 말까요?"

"됐어."

그가 빠르게 셔츠를 걷어 올려 팔을 드러냈다. 전부 올린 게 아닌데도 적나라하게 드러나는 팔근육에, 나는 순간 당황한 얼굴로 빠르게 고개를 돌렸다. 못 볼 걸 본 것도 아닌데, 뭐니 나?

'……운동은 진짜 열심히 하나 보네.'

관자놀이를 긁적이며 시선을 피하고 있는데, 레이놀즈의 목소리가 들려왔다.

"다 했어."

나는 빠르게 고개를 되돌렸다.

"확인해봐."

레이놀즈의 이름 옆에 황제의 서명이 적혀 있었다. 나는 만족스러운 미소를 지으며 그것을 받아 들었다. 내용은 다음과 같았다.

각서.

하나, '레이놀즈 천시 라 엘스워드'는 '유리네트 조셋 엘 사토르디'의 이름을 부르지 않는다.

애칭도 포함해서.

둘, '레이놀즈 천시 라 엘스워드'는 '유리네트 조셋 엘 사토르디'에게 함부로 스킨십을 하지 않는다.

셋, '레이놀즈 천시 라 엘스워드'는 '유리네트 조셋 엘 사토르디'를 유혹하지 않는다.

육체석으로든, 징신적으로도든.

넷, '레이놀즈 천시 라 엘스워드'는 '유리네트 조셋 엘 사토르디'에게 지나친 감정표현을 하지 않는다. 기준은 '유리네트 조 셋 엘 사토르디'가 판단한다.

"완전히 나한테 불리한 각서잖아. 안 그래, 유린?"

그 말에 내가 빤히 레이놀즈를 쳐다보았다. 서명한 지 몇 초나 지났다고 벌써 내용 위반을······.

"아직 떠나기 전이니까."

그가 미소와 함께 변명했고, 나는 어이없다는 투로 물었다.

"그럼 앞으로 열흘 넘게 계속 그러시겠다고요?"

"황궁에서만 그러지 않으면 되는 거잖아."

그가 어깨를 으쓱이며 각서를 톡톡 손가락으로 두드렸다.

"여기 어디에 시기가 나와 있지?"

아뿔싸. 내 얼굴이 새하얘졌다.

"······다시 써요."

"이미 늦었어."

손에 들려 있던 각서를 잡아채려는데, 그가 좀 더 빨랐다. 레이놀즈가 팔을 높게 뻗으면서 각서가 허공에서 흔들거렸다.

"못 고쳐, 이제."

"······너무하시네요."

"유린이 나한테 너무한 거지."

그가 눈살을 폭 구기며 불만을 토로했다.

"짝사랑하는 남자한테 이런 게 얼마나 고역일지는 생각 안 해 봤어?"

"그래도 동의하셨으니까요."

나는 뻔뻔하다 싶을 만큼 당당하게 대꾸했다.

"그게 싫으셨다면 거절하셨겠죠. 그걸 감수하시면서까지 절 옆에 두고 싶으셨던 거고."

"……너무 잘 아는데?"

"누구라도 알걸요."

바보라도. 내가 머쓱하게 뒷머리를 긁적였다.

"모쪼록 건강하고 바람직한 군신 관계를 위해 노력해 주시길 바랍니다, 폐하."

"……"

그는 침묵했지만, 내 귀에는 어쩐지 '그런 거 할 생각 없다니까, 유린' 하고 환청이 들려오는 듯했다.

'……미쳤어.'

진짜 미쳤어. 나는 빠르게 고개를 저었다.

"어쨌든."

그 이후로 아무 말도 없었는데 이상하게 분위기는 후끈해진 느낌이라, 나는 괜히 헛기침을 했다. 속내를 안 들킨 게 그나마 다행이라면 다행이었다.

"저는 폐하와 함께 환궁하는 것으로 알고 준비하겠습니다."

"자작 부부에게는 말하지 않아도 되나?"

"당연히⋯⋯."

지금 해야죠.

❧ ❧ ❧

"⋯⋯폐하의 시녀로 입궁한다고?"

"네."

나는 살짝 미소 지으며 고개를 끄덕였다.

가족들은 온천에서 다녀온 후의 돌발 고백에 퍽 당황한 눈치였다.

당연한 게, 그전까지 관련해서 언질 준 적이 한 번도 없었으니까.

"아니, 어쩌다가?"

"그렇게 됐어요."

"폐하께서 먼저 말씀하신 일이니?"

"네."

나름 스카우트라면 스카우트였다. 의도가 불순해서 문제긴 하지만⋯⋯.

"어쩐지 폐하께서 널 퍽 마음에 들어 하시는 것 같더라니."

"⋯⋯네?"

기뻐하는 자작부인의 말에, 나는 아연실색한 표정으로 자작부인을 쳐다보았다. 뭐, 뭐야. 설마 다들 알고 있었던 거야……?

"마, 마음에 들어 하시다뇨?"

"폐하께서 주변에 둘 사람은 몹시 까다롭게 고르신다고 들었거든. 워낙 예민하신 분이라."

그 말을 한 다음에 자작부인은 입을 가리고 웃었다.

"근데 갑자기 너더러 사토르디 구경을 해달라고 시키시지 않나……. 그거 보고 대충 눈치는 챘지."

"아아……."

내가 생각하는 의미는 아니어서 다행이었다. 엄마, 미안하지만 그거 아니에요…….

"우리 딸이 또 성격은 무지무지하게 좋으니까."

"나도 우리 딸이 잘해낼 줄 알았어."

"하지만 시녀로 입궁까지 하게 될 줄은……."

"그건 좀 갑작스러웠지."

"그래도 좋은 기회야, 유린. 다른 것도 아니고 폐하의 시녀잖니."

"나중에 결혼할 때도 분명 도움이 될 거야. 모두가 선망하는 자리잖니?"

그들의 말대로 황족의 시녀가 된다는 것은 퍽 영광스러운 자리였다. 모심 받는 황족이 시중드는 귀족의 결혼 상대를 친히 골라주는 관례가 있었던 데다, 그런 게 아니더라도 많은 귀족들이 황족의 시녀를 아주 좋은 배우자감으로 생각했기 때문이었다.

즉 시녀로 일한다는 것은 최고의 신부수업이라고 볼 수 있었다. 그러나…….

'과연 레이놀즈가 나한테 혼담을 주선해줄까?'

여기에 나는 아니라고 당당히 대답할 수 있었다. '불순한 의도'로 나를 입궁시키는 남자에게 결혼 상대를 골라주는 것까지는 기대도 안 한다. 언젠가 있을 결혼을 파투나 안 내면 다행이지…….

"물론 유린, 너와 몇 년간 떨어져 지내야 한다는 게 좀 많이 슬프긴 하지만……."

"영영 못 보는 것도 아닌걸요."

나는 침착하게 웃으며 자작부인을 진정시켰다.

"그리 길게 있다 오지는 않을 거예요."

"그렇겠지. 너도 곧 결혼을 해야 할 테니까."

"……네."

"그렇다면 지금부터 짐을 싸도 시간이 모자라겠구나."

"안 그래도 에이미에게 미리 말해두었어요. 시간이 부족하거나 하지는 않을 거예요."

"그래, 다행이구나."

사토르디 자작은 이야기가 어느 정도 다 마쳐졌음에도 얼떨떨한 모습이었다. 여전히 자신의 장녀가 시녀로 입궁하게 되었다는 사실이 믿기지 않는다는 사람처럼.

"오드리는 할 말 없니?"

"……저요?"

그리고 오드리도 얼떨떨한 모습이기는 마찬가지였다.

그녀는 잠시 말을 잇지 못하다가 천천히 입술을 뗐다.

"저는…… 음……. 이따 언니랑 따로 이야기할게요."

       ✤ ✤ ✤

그래서 내가 오드리와 진지하게 그 화제에 대해 이야기한 건 그
날 저녁 식사 자리에서나였다.

"정말 황궁으로 가는 거야, 언니?"

"그렇다니까."

나는 접시 위의 닭날개를 나이프로 썰면서 오드리에게 물었다.

"왜, 안 믿겨?"

"안 믿기지. 갑자기 시녀라니!"

오드리가 떨떠름한 목소리로 물었다.

"정말 다른 뜻은 없는 거지? 그냥 시녀로 입궁하는 거지?"

"무슨 뜻이야?"

"난 사실 좀 황당무계한 생각을 했어."

"무슨 황당무계한 생각?"

"어쩌면 폐하께서……."

오드리가 마른 침을 삼킨 다음 말을 맺었다.

"언니를 이성으로 보고 있을지도 모른다는 생각."

챙그랑! 그 말에 놀란 내가 들고 있던 나이프를 바닥으로 떨어뜨렸다. 오드리가 놀라며 물어왔다.

"괜찮아, 언니?"

"괜찮아."

나는 침착하게 말하며 에이미가 옆에서 건네주는 새로운 나이프를 받아 들었다. 나는 침착하게, 마치 아무것도 듣지 않은 것처럼 닭날개를 썰기 시작했다. 그런 내 모습을 가만히 바라보던 오드리가 설마 하는 목소리로 물었다.

"내 황당무계한 생각이 맞는…… 건 아니겠지?"

"……."

"언니."

"맞아."

"언니!"

경악한 목소리였다.

"정말이야? 진짜로……!"

오드리는 너무 놀란 나머지 입까지 틀어막았고, 한참 후에 물었다.

"……다른 목적으로 가는 거 아니지?"

"뭘 생각하는 건지는 모르겠지만…… 아니야."

내가 황제의 정부라도 되는 걸 생각했나 보다. 나 참.

"순수한 목적으로 가는 거니까 걱정하지 마."

"언니도 폐하를 좋아해?"

"좋아하지."

나는 고개를 끄덕였다.

"신하로서."

"상대는 그게 아니라며."

"이 마음 그대로 지킬 수 있게 폐하께 각서까지 받아냈어."

"……불안한데."

"……."

오드리의 말에 나는 잠시 침묵했다 입을 열었다.

"이대로 폐하를 그냥 보내면 후회할 것 같았어."

"무슨 후회?"

"……온천에서 폐하의 가정사에 대해 알게 되었는데."

나는 전부 이야기할까 고민하다가 결국 결론만 이야기했다.

"내 오만인지는 모르겠지만, 폐하께서 올바른 길을 걸을 수 있게 도와주는 사람이 주변에 충분히 없는 것 같아."

물론 단순히 그 이야기만 듣고 결정 내린 건 아니었다. 말콤 호로웨이가 죽은 뒤부터 조금씩 생각해 왔으니까. 그 또한 오만이라면 오만이겠지만.

"언니 말대로 그건 오만이야. 왜 그 넓은 궁에 그런 일을 한 사람이 언니뿐이라고 생각해?"

"나뿐이 아니라면 폐하께서 그렇게……."

스스럼없이 말콤 호로웨이를 처단하지 않으셨겠지. 그 말을 하려다 나는 그만두었다. 그런 내 생각을 읽었는지 오드리는 갑자기 조용해졌다.

"어쨌든."

나는 헛기침을 한 다음 말을 이었다.

"내가 유일하지 않더라도, 그런 일을 해줄 사람이 한 사람이라도 더 보태지면 좋잖아."

"그런 의무감과 충성심만으로만 가는 거."

오드리가 눈을 가늘게 뜨며 물어왔다.

"맞아?"

"맞아."

"……좋아."

오드리가 어깨를 으쓱였다.

"나는 나쁘지 않다고 생각해. 언니의 선택을 존중한다는 의미야."

"그래. 고마워."

"다만 폐하께서 나중에 언니를 쉽게 놓아줄 수 있을지가 걱정이네."

"내가 계속 선을 그으면 폐하께서도 점점 마음을 놓으실 거야."

웃기고 슬프지만 이건 경험담이었다. 내가 피식 웃으며 중얼거렸다.

"굳건한 철벽 앞에서 버티는 남자 없더라."

"하긴, 뭐."

오드리가 어깨를 으쓱인 다음 화제를 돌렸다.

"내일은 뭐 할 예정이야?"

"아, 내일은……."

나는 귓불을 긁적인 다음 답했다.

"아마나의 꽃집에 갈 거야."

"아하……. '그날' 이후로는 처음 아니야?"

"맞아."

어쩌다 보니 그렇게 되어버렸지만.

"작별 인사도 할 겸 겸사겸사."

"언니 소식 들으면 아마나가 서운해 하겠다."

"영영 떠나는 것도 아닌데, 뭐."

말은 그렇게 했지만, 나도 많이 서운할 것 같다는 생각이 들었다.

❦ ❦ ❦

"아가씨!"

꽃집 앞에 멈추어 선 익숙한 마차를 보고, 아마나가 빠르게 바깥으로 튀어나왔다. 나는 방긋 웃으며 마차 안에서 내렸다.

"안녕, 아마나. 오랜만이야."

"네, 정말로요! 그간 잘 지내셨어요?"

"나야 잘 지냈지. 그보다……."

나는 말끝을 흐리며 슬쩍 뒤를 보았다.

"인사드려."

마차 안에서는 한 명이 더 내리고 있었다.

그 모습을 본 아마나의 표정이 당황으로 경직되었다.

"폐하도 오셨어."

오늘 아마나의 꽃집에는 나만 온 게 아니었다. 레이놀즈도 함께였다. 아마나는 예상치 못한 손님의 등장에 ― 그것도 보통 거물이아니었다 ― 몹시 당황한 듯했지만, 빠르게 정신을 차리고 허리를 90도로 숙여 인사했다.

"화, 황제 폐하를 뵙습니다."

"인사는 안에 가서 받아도 좋았을걸."

레이놀즈가 싱긋 웃었다.

"여기 밖이잖아."

"아무도 못 알아볼 거예요. 괜찮습니다."

나는 어깨를 으쓱거린 다음 두 사람을 데리고 꽃집 안으로 들어갔다. 아마나의 꽃집은 마지막으로 방문했을 때와 달라짐 없이 그대로였다.

"앉아 계세요. 다과를 내올게요."

아마나는 지난번보다는 익숙하게 다과를 내왔다. 나는 레이놀즈와 마주 앉은 다음 천천히 익숙한 내부를 구경했다.

'여기도 머지않아 안녕이라고 생각하니 많이 아쉽네.'

잠시 후 따뜻한 레몬차와 내가 좋아하는 아마나 표 버터쿠키가 테이블 위에 올라왔다. 나는 버터 쿠키 하나를 집어 입안에 넣으면서, 아마나에게 조심스럽게 이야기를 꺼냈다.

"아마나, 있잖아."

"네, 아가씨."

"나 곧 떠나."

그 말을 들은 아마나의 눈이 동그래졌다.

"떠나신다뇨?"

"말 그대로."

나는 목소리를 가다듬은 다음 명확한 발음으로 말했다.

"황궁으로 가게 되었어."

"네에?"

"폐하께서 시녀로 입궁하라고 제의하셨거든."

사실은 거의 '부탁'에 가까운 수준이었지만.

"나는 받아들였고."

"세상에……."

아마나는 전혀 예상치 못했다는 듯 놀란 표정을 짓다가 물었다.

"언제 떠나시는데요?"

"폐하와 같은 날에."

"열흘 정도 남았네요."

아마나가 파르르 떨리는 목소리로 말했다.

"떠나시기 전까지."

"그렇게 됐네. 너무 급작스럽게 결정이 됐지."

나는 머쓱하게 웃으며 레이놀즈를 흘긋거렸다.

"결정되자마자 바로 온 거야."

"그럼 계속 황궁에서 지내시는 건가요?"

"아니. 그건 아니야."

나는 확실치 않다는 목소리로 설명했다.

"그게 1년이 될 수도 있고……. 너무 오래 있다 오지는 않을 거야."

"그렇군요."

그렇게 대답하면서 아마나는 슬쩍 레이놀즈의 눈치를 봤는데, 아무래도 고용(?)의 당사자가 있는 곳에서 그런 말을 스스럼없이 해도 되느냐고 묻는 것 같았다. 나는 어깨를 으쓱이며 말을 보탰다.

"폐하께서도 동의하셨어."

"그쵸, 폐하?"

"어."

몹시 성의 없는 대답이라 물어본 나도, 듣는 아마나도 당황했다. 다행히 아마나가 눈치 있게 다른 말을 꺼냈다.

"많이 보고 싶을 거예요, 아가씨. 제 유일한 벗이셨는데……."

"나도 그래, 아마나. 이제 수다 떨 사람이 없다고 생각하니까 벌써부터 허전하고 그렇다."

"그래도 영영 가시는 건 아니니까요."

아마나가 특유의 밝은 목소리로 말했다.

"오늘은 꽃을 잔뜩 가져가세요. 전부 무료로 드릴게요."

"오, 아마나. 그럴 수는 없어."

나는 절레절레 고개를 저었다.

"오늘이 어쩌면 마지막일 텐데. 내가 전부 사 간다면 모를까."

"아녜요, 아가씨."

아마나도 절레절레 고개를 저었다.

"그간 저희 꽃집을 찾아주신 것에 대한 보답이에요."

"아마나, 나는 네가 좋아서 이곳에 계속 온 것뿐이야."

"알아요. 그래도 고마워서요."

아마나가 씩 웃으며 말했다.

"제 성의니까, 받아 주세요."

"……고마워."

살짝 목이 메는 것을 느끼며 내가 고개를 끄덕였다.

"그럼 폐하, 한번 둘러보시겠어요?"

레이놀즈가 입안에 마지막 쿠키 조각을 털어 넣은 다음 자리에서 일어났다. 나는 그와 함께 꽃이 보관되어 있는 곳으로 가면서 그에게 말을 걸었다.

"아마나에게 지난번에는 미안했다고 하세요, 폐하."

"……."

"지난번의 일로 아마나를 놀래키셨잖아요. 꽃집도 엉망으로 만들어 놓으셨고."

할 말이 없어서인지 다른 이유가 있는 건지 그는 아무 대꾸도 하지 않았다. 마침내 꽃들이 모여 있는 곳까지 도착한 내가 다시 한번 그에게 말했다.

"저는 폐하께서 아마나에게 사과해 주셨으면 좋겠어요."

"……뭔가 잊고 있는 것 같은데 나는 황제야, 유린."

"폐하께서 엘스워드의 하나뿐인 태양이시라는 건 제가 누구보다 잘 알아요."

나는 가만히 고개를 옆으로 돌려 레이놀즈를 쳐다보았다. 평생 누구에게 사과 따위 하고 살아온 적 없는 사람의 눈이 들어왔다.

"사과를 남용하라는 뜻은 절대 아니에요. 그렇게 해서 폐하의 권위를 떨어뜨릴 생각도 없고요."

"그런데?"

"아마나에게 사과한다고 해서 폐하의 권위가 떨어지지는 않을 테니까요. 아마나는 귀족도 아니고, 폐하를 업신여길 가능성도 없는 사람이잖아요."

나는 방긋 웃으며 덧붙였다.

"그렇게 해주신다면, 폐하의 권위는 외려 높아질 거예요. 그리고 전 매우 기뻐할 거고요."

"굳이……."

"어쨌든 먼저 잘못한 건 우리 쪽이니까요."

그 말에 레이놀즈가 나를 빤히 바라보았다.

"그래야 떠나기 전에 제 마음도 편해질 거 같아요."

"물론 정말 내키지 않으시다면 어쩔 수 없지만……."

"'우리'라니?"

그가 집어낸 건 엉뚱한 부분이었다. 나는 당황해서 고개를 갸웃거렸다.

"네?"

"아까. '우리'라고 했잖아."

"그야……."

나는 귀 뒤를 긁적이며 중얼거렸다.

"어쨌든 지금 저는 폐하의 시녀 자격으로 여기 있는 거니까요."

물론 시녀가 가는 곳에 황제가 따라온 주객전도의 상황이기는 해도 말이다.

"불쾌하셨다면 사과드려요."

"아니. 아냐."

그가 두 번이나 부정하며 내게 말했다.

"질대로 불쾌하지 않았어. 오히려 좋았지."

그가 씩 웃었고, 나는 그 미소를 보고 순간 멈칫했다. 이렇게 예기치 못한 순간 보게 되는 미소가 얼마나 위험한 것인지 이 남자는 모르고 있는 게 틀림없다. 알고 있다면 이렇게 내게 자주 웃어주지는 못할 테니까. 나는 마른 침을 삼킨 다음 그에게 물었다.

"……하실 건가요?"

"생각해 보고."

"하실 거라고 믿어요."

대화는 거기에서 끊겼다. 레이놀즈의 시선이 아스포델로 완전히 돌아섰기 때문이었다. 그가 지난번 아스포델을 가장 좋아하는 꽃으로 꼽았던 걸 기억하고 있던 나는 작게 웃음소리를 내며 말했다.

"오늘은 아스포델 잔뜩 사드릴게요."

"유린은?"

"저는…… 장미?"

나는 어깨를 으쓱이며 덧붙였다.

"제일 좋아하는 꽃이니까요."

"황궁에 가면."

그가 조용히 내게 말했다.

"분명 좋아할 거야."

"왜요?"

"장미가 많거든."

"그래요?"

"그리고 장미를 더 심을 예정이야."

그 말에, 나는 멈칫하며 물었다.

"……저 때문은 아니죠?"

"으음."

그가 고민하는 표정을 짓다 물었다.

"아마 맞을걸?"

"……."

"싫어?"

그가 부드럽게 미소 띤 얼굴로 물어왔고, 그 미소에 나는 순간 할 말을 잃고 빤히 쳐다보기만 했다.

아, 왜 꼭 이런 상황에서만 저런 표정을 짓는 걸까요……?

'사람 당황스럽게시리.'

나는 마른 침을 꿀꺽 삼킨 다음 입을 열었다.

"아뇨. 그, 싫은 건 아닌데."

"그럼 문제 될 거 없잖아."

그가 다시 씩 웃었고, 나는 한참 후에야 입을 열었다.

"괜한 낭비는 안 하셨으면 좋겠어서요."

"낭비 아니야. 황궁을 화려하게 만들어 황권을 높이는 것처럼 중요한 일도 없지."

그렇게 말하면 할 말이 없어지잖아……! 내가 그다음 말을 생각해 내기 위해 전전긍긍하고 있는데, 레이놀즈의 시선이 다른 쪽으로 향했다.

"아마나 양."

그 행동에 내가 의아해하는 사이, 아마나가 빠르게 대답했다.

"네, 폐하."

"이 꽃집에 있는 아스포델과 붉은 장미, 전부 담아 줘."

"전부요?"

"그래."

그렇게 말하면서, 레이놀즈는 느릿하게 입꼬리를 끌어 올려 웃었다.

"계산은 내가 하지."

……내가 사준다니까.

.

.

.

마차 안에 어마어마한 양의 아스포델과 붉은 장미가 실렸고, 아마나는 뿌듯한 얼굴이었다. 그게 많은 꽃을 팔아서가 아니라, 마지막 인사하는 벗에게 자신이 가진 것을 줄 수 있어서라는 걸 나는 알아차렸다. 내가 아릿하게 웃으며 아마나를 꼭 끌어안았다.

"보고 싶을 거야, 아마나."

"다시 못 볼 것도 아닌데요, 뭘."

아마나는 생각보다 태연하게 대꾸하며 나를 안았다.

"몸 조심히 지내셔야 해요. 저 잊지 마시고요."

"내가 아마나를 어떻게 잊겠어. 아마나야말로 나 잊으면 안 돼. 알았지?"

"걱정하지 마세요. 전 이 자리에 계속, 그대로 있을 테니까요."

아마나가 낮게 웃으며 내게 물었다.

"편지는 주고받을 수 있는 거죠?"

"물론이지. 자주 보낼게."

"기다리고 있을게요."

마지막 인사를 마친 뒤에, 아마나는 조심스럽게 레이놀즈도 쳐다보았다. 어쨌든 뭐라고 인사를 해야 할 것 같은데 뭐라고 해야 할지 영 감이 안 선다는 눈치였다.

내가 적당히 끼어들어서 레이놀즈를 데리고 마차 안으로 들어가려는데, 예상치 못한 목소리가 들려왔다.

"아마나 양."

레이놀즈가 아마나를 부른 것이다. 갑작스러운 호명에 아마나는 딸꾹질이라도 할 것 같은 얼굴로 그를 바라보았다.

"네, 네, 폐하!"

그리고 이어지는 말은 퍽 믿기 어려운 것이었다.

"지난번 일은 미안하게 됐군."

"……네?"

"지난번에."

그가 명확한 어조로 말했다.

"꽃집을 어지럽히고 양을 놀라게 만든 것 말이야."

"……."

"사과하지. 모쪼록 그때 일은 잊었으면 좋겠어."

"네, 네."

아마나가 얼떨떨한 얼굴로 고개를 끄덕였다.

"무, 물론입니다, 폐하. 황공합니다."

"그럼…… 언젠가 다시 만날 때까지 잘 지냈으면 좋겠군."

"무, 물론입니다, 폐하. 황공합니다."

아마나는 앵무새처럼 그 말만 반복했고, 나는 아마나의 당황을
이해했다. ……나라도 저랬을 거 같아.

"그럼 이만 갈까, 유린?"

우리 둘에게 그런 충격을 안겨주고, 레이놀즈는 참으로 태연하
게 내게 물어왔다. 나는 고개를 끄덕인 다음 그와 함께 마차 위에
올라탔다.

잠시 후 마차가 출발했고, 나는 여전히 아까 일어났던 일이 믿기
지 않아 멍한 상태로 있었다. 그 모습을 지그시 바라보던 그가 물
었다.

"무슨 생각을 그렇게 골똘히 해?"

……방금 일어난 일이 꿈인지 현실인지 모르겠다는 생각?

"유린, 있잖아."

나는 천천히 그에게로 시선을 옮겼다.

"나 아까 잘하지 않았어?"

"……네."

잘하셨죠. 아주 예상 밖으로.

"그게 끝?"

"네?"

"잘했으면, 칭찬해줘야 하지 않을까?"

"아…… 대단하세요, 폐하. 아주 잘하셨어요."

솔직히 기대를 안 해서 더 얼떨떨했다. 그런데 레이놀즈는 내 칭찬이 영 성에 안 차는 모양이었다. 그가 잠시 생각하는 표정을 짓다가 입을 열었다.

"각서를 수정하는 게 좋겠어."

"네? 어떤 식으로……."

"그 각서에 당근은 없고 채찍만 있잖아."

……그건 그랬다. 나는 양심에 찔려서 저도 모르게 고개를 끄덕였다. 아니, 근데 내가 입궁하는 거 자체가 당신한테는 당근 아니었어……?

"저택에 돌아가면 수정하도록 하지."

"원하시는 내용이라도 있으세요?"

"레이놀즈가 선한 행위를 하면 유리네트는 레이놀즈의 소원 하나를 들어준다."

"선하다는 게 너무 기준이 모호한데요."

"그렇게 치면 '솔직한 감정표현'이나 '유혹'도 모호해."

"……"

할 말이 없어진 나는 잠시 침묵했고, 그런 나를 보던 레이놀즈가 승리를 예감하는 사람처럼 의기양양하게 웃었다.

"추가하는 거지?"

"싫다고 하면 어떻게 되는 건가요?"

"내가 많이 서운해 하지 않을까?"

"……"

내가 아쉬울 거 없는 말인데, 이상하게 들어줘야 할 거 같았다.

'뭐, 하나쯤은 원하는 대로 해주는 것도 나쁘지 않겠지.'

말마따나 적절한 보상도 필요한 법이니까. 나는 고개를 끄덕였다.

"좋아요. 저택에 돌아가자마자 같이 수정해요."

그제야 레이놀즈의 입가에 환한 미소가 걸렸고, 그 순간 나는 문득 궁금해졌다.

"근데 소원으로 뭐 말씀하시려고요?"

"응?"

"아니, 굳이 콕 집어서 '소원을 들어준다'라고 하신 이유가 궁금해서요. 제가 폐하께 들어드릴 수 있는 소원이 있나요?"

"있지. 당연히."

"어마어마한 거 요구하시는 건 아니죠?"

"어마어마한 거?"

그가 잘 모르겠다는 얼굴로 물었다.

"이를테면?"

"거금을 내놓으라고 한다든가?"

"뭐?"

내 말에 레이놀즈가 진심으로 재밌다는 듯 웃음을 터뜨렸고, 나는 어쩐지 민망해져 얼굴을 붉혔다.

"……왜요."

"아니, 웃겨서."

그가 여전히 웃음 섞인 목소리로 내게 말했다.

"아무렴 내가 그런 걸 요구할까."

……하긴.

'이 남자가 누군지 잠시 잊고 있었네.'

우리 집 전재산쯤이야 아무것도 아닐 텐데. 그 사실을 상기하자 더 부끄러워졌다.

"그럼 뭔데요?"

"그걸 벌써부터 알려주면 재미없겠지?"

하여튼 비밀 많은 남자라니까.

내가 입술을 비죽이고 있는데, 갑자기 마차가 멈추었다. 창밖을 바라보니 벌써 저택에 도착해 있었다. 빠르게 마차에서 내리려는데, 누군가가 내 손목을 붙잡았다. 뒤돌아볼 필요 없이 레이놀즈여서, 나는 의아한 표정으로 그에게 물었다.

"왜 그러세요, 폐하?"

"……."

하지만 그는 나를 빤히 바라보기만 할 뿐 이렇다 할 말이 없었고, 나는 여전히 의아한 얼굴로 그를 쳐다보았다. 그러다 어느 순간, 마차 안의 분위기가 묘해지고 있다는 사실을 깨닫고선 흠칫 놀라며 몸을 떨었다. 나는 머뭇거리며 입을 열었다.

"하실 말씀 없으시면…… 이만 내리시죠."

그는 대답하지 않았고, 나는 조심스럽게 그에게서 잡혔던 손목을 빼냈다. 애당초 세게 잡은 게 아니라 부드럽게 손목이 빠졌다.

손과 손목이 마찰하는 감촉이 기묘하다. 나는 마른 침을 삼킨 다음 빠르게 마차에서 내렸다. 내리는데, 심장이 이상하게 세게 뛰었다.

'뭐라도 묻었나.'

나는 무의식적으로 얼굴을 손등으로 털었다. 묻어나오는 건 없었다.

'얼굴에 뭐가 묻어서 잡은 게 아니네?'

그럼 대체 왜 불러 세운 거지? 나는 고개를 갸웃거리며 마차에서 내리는 레이놀즈를 쳐다보았다. 여상스러운 얼굴이 똑같이 나를 바라보았다.

"제 얼굴에 혹시 뭐 묻었나요?"

"아니."

"그럼 아까는 왜……."

왜 잡아 세웠느냐고 물어보려다가, 그가 아까보다 깊어진 시선으로 나를 바라보고 있다는 사실을 눈치채자 자연스럽게 입이 다물렸다. 아, 저 눈은 아무리 봐도 익숙해지지 않을 거 같아.

"어……."

그때 레이놀즈가 내게 불쑥 무언가를 내밀었다. 아까 아마나의 꽃집에서 가져온 붉은 장미 꽃다발이었다. 내가 멍하니 그것을 바라보고 있자, 그가 웃음기 띤 목소리로 말했다.

"안 받을 건가?"

그 말에 내가 화들짝 놀라며 꽃다발을 받아 들었다. 아이고, 우리 폐하 팔 아프셨겠네.

"감사해요."

"뭘 이런 걸 가지고."

"원래는 제가 계산했어야 하는 건데."

사실 그 금액은 그에게 발톱의 때만큼도 중요하지 않은 금액이 겠지만, 뭐, 늘 그렇듯 중요한 건 성의와 마음이다.

"마지막 날엔 제가 살게요."

그 말을 내뱉은 순간 나는 어쩐지 숙연해졌고, 우리 두 사람 사이의 분위기도 묘하게 달라졌다.

'마지막 날…….'

레이놀즈가 이곳에 남기로 한 마지막 날이 금방 다가오고 있었다.

'물론 나는 그를 따라서 수도에 함께 가겠지만⋯⋯.'

어쨌든 '마지막'이라는 단어가 주는 느낌은 분명 묘했다. 나는 애써 아무렇지 않은 척 싱긋 웃은 뒤 그에게 허리를 숙였다.

"그럼 쉬시지요, 폐하."

"⋯⋯그래."

그가 조용히 대답했고, 나는 조용히 뒤를 돌았다. 별채까지 돌아가면서 나는 조금 심란해졌다.

"제가 들까요, 아가씨?"

옆에서 에이미가 꽃다발을 들어 주겠다고 했지만, 나는 그냥 내가 꽃다발을 안고 끝까지 걸어갔다.

이상하게, 이걸 손에서 떼어 놓으면 안 될 것 같은 기분이었다.

3

Tarot

　시간은 빠르게 흘러갔고, 어느새 레이놀즈가 사토르디에 온 지 한 달째가 되었다.

　아마 내 인생에서 매우 인상적인 한 달일 것이다.

　"내일이 벌써 떠나는 날이군요."

　"그러게요."

　애슐리 경의 말에 나는 머쓱하게 웃으며 귀 옆을 긁적였다.

　"시간이 정말 빨라요. 오셨던 게 엊그제 같은데……."

　"맞습니다. 영애께서 폐하와 비를 맞고 계셨던 모습을 본 게 정말 엊그제 같네요."

　애슐리 경이 다정한 목소리로 물었다.

　"짐은 다 싸셨습니까?"

　"네, 애슐리 경."

짐이 간소했기 때문에 준비는 어제 다 끝났다. 물론 오늘 한 번 더 점검해야 하기는 하겠지만, 굵직한 건 확실히 다 챙겼다.

"너무 떨려요. 솔직히 아직까지도 실감이 나지 않네요."

"그러실 만도 하겠지요."

애슐리 경이 부드럽게 미소 지으며 입을 열었다.

"어쨌든 저는 영애께서 입궁하신다니 기쁘군요. 내심 그러기를 바라고 있었지만, 제가 함부로 관여할 영역이 아니라 함부로 말씀드리지 못했거든요."

"정말이세요?"

"그럼요."

애슐리 경의 미소가 더 짙어졌다.

"폐하께서 이곳에 오신 후로 많이 좋아지셨거든요."

"다행이에요. 사토르디에 오셔서 쾌차하셨다면 저로서는 더없이 기쁘지요."

"단순히 육체적인 면만을 말씀드리는 것이 아니라, 정신적인 영역에 있어서도 많이 안정되셨습니다."

……그게요?

'그럼 도대체 여기 오기 전에는 얼마나…….'

나는 거기서 생각을 멈추고, 내 은밀한 생각을 들켜버린 사람처럼 어색하게 웃었다.

"다행이에요. 확실히 사토르디의 온천이 많은 효험이 있나 봐요."

"물론 그 탓도 있겠지만."

애슐리 경은 여전히 웃고 있었다.

"전 영애 덕분이라고 생각합니다."

"제가 뭘 했다고요."

내가 수줍은 얼굴로 고개를 젓자, 애슐리 경은 아니라는 듯 입을 열었다.

"정말입니다. 단순히 온천만으로 폐하께서 저렇게 나아지셨다고 는 생각하지 않거든요. 어쨌든 영애께서 시녀로 입궁해주신다니, 모쪼록 환궁하신 뒤에도 계속 안정적이시기를 바랄 뿐입니다."

"노력하겠습니다."

그 말을 들으니 어째 책임감이 더 막중해지는 느낌이다.

'그렇지만 난 정말 한 게 없는데.'

기껏해야 같이 대화 나누고, 명소에 함께 가고, 이런 게 전부였으니까. 이런 간단하게 도움이 될 정도면, 도대체 그동안 얼마나 삭막하게 생활했다는 거지?

내가 진지하게 의심하고 있는데, 갑자기 문이 열리고 누군가가 밖으로 나왔다. 돌아볼 것도 없이 레이놀즈이리라. 나는 빠르게 몸을 돌리며 허리를 숙였다.

"폐하를 뵙습니다."

"……."

하지만 레이놀즈는 내 인사에 이렇다 할 대꾸를 하지 않았고, 나는 의아해져서 슬며시 고개를 들어 올렸다. 그러자 그가 나와 애슐리 경을 미간을 좁히며 바라보고 있는 모습이 눈에 들어왔다.

'왜 저러지?'

그때, 내 머릿속으로 생각 하나가 섬광처럼 스쳐 지나갔다.

'이거 설마…… 질투는 아니겠지?'

에이, 말도 안…… 된다고 생각하려다가, 나는 생각을 바꾸었다. 지난번에도 이런 일이 있었다. 레이놀즈가 나를 좋아한다고 고백하기 전이었지만, 확실히 그때도 그의 과민함을 이상하게 여기기는 했었다.

'……못살아.'

그 생각에까지 이르자 급격하게 얼굴이 붉어졌다. 나는 애써 내색하지 않으며 입을 열었다.

"폐하, 왜 그러십니까."

이렇게 대놓고 물어보면 좀 표정을 풀 줄 알았는데, 여전히 표정이 굳어 있었다. 심지어는……

"두 사람, 왜 그렇게 가까이 붙어 있지?"

……이렇게까지 말하는 것이었다! 나는 순간 내 귀를 의심하고 그를 쳐다보았지만, 레이놀즈는 태연했다.

"왜 그렇게 가까이 붙어 있냐고."

심지어 반복해서 묻기까지…….

나는 순간 정신이 혼미해졌고, 옆에 있던 애슐리 경도 퍽 당황하는 것이 느껴졌다. 내가 황당한 눈으로 레이놀즈를 쳐다보았지만, 그는 끝까지 천연덕스럽게 미간을 좁히고 있었다.

"폐하, 그저 약간의 담소를 나눈 것뿐이랍니다."

애슐리 경이 당황스러움을 수습한 뒤 대답했지만, 여전히 레이놀즈는 미심쩍은 눈빛이었다. 결국 내가 나서야 했다. 나는 빠르게 그에게 다가가 주의를 주었다.

"그만 하세요, 폐하."

나는 짐짓 무섭게 목소리를 깔며 말했다.

"자꾸 이러시면 각서 조항 위반입니다."

그 말에 그가 움찔했다가, 이내 억울하다는 듯 물었다.

"몇 항?"

"4항. 지나친 감정 표현 금지."

"이게?"

나는 고개를 끄덕였고, 레이놀즈는 황당해 했다. 아니, 지금 황당해 해야 할 사람이 누구인데 이러시나? 내가 눈을 가늘게 뜨며 그에게 물었다.

"안 가실 거예요? 시간도 없는데."

"……."

그가 말없이 내 손을 부드럽게 잡아 천천히 걸어가기 시작했다. 나는 씩 웃다가 마지막으로 고개를 돌려 애슐리 경에게 다녀오겠다는 눈짓을 했다. 애슐리 경이 피식 웃으며 고개를 끄덕였다.

.

.

.

"애슐리 경 앞에서 자꾸 그러실 거예요?"

마차 안에서, 나는 황당하다는 목소리로 그에게 따지듯 물었다. 물론 상당히 불경스러운 언행이라는 걸 모르지 않았지만, 지금 이 상황에서는 도무지 안 그럴 수가 없었다.

"내가 뭘?"

레이놀즈가 천연덕스럽게 대꾸했고, 나는 눈을 가늘게 뜨며 그에게 말했다.

"그냥 대화 나눈 것뿐이었어요."

"그러기엔 너무 가깝던데."

"그 정도 거리도 못 견디시면, 제가 어떻게 입궁을 하겠어요. 정식으로 시녀가 되면 폐하와 관련해 더 대화할 상황이 잦아질 텐데. 그때마다 그러실 거예요?"

"……."

"제가 사적인 이야기를 하는 것도 아니고, 애슐리 경과는 늘 폐하와 관련된 이야기만 한다고요. 그리고 다른 것보다……."

내가 슬며시 몸을 앞으로 숙인 다음, 레이놀즈를 올려다보며 물었다.

"지금 애슐리 경에게 질투하시는 건가요, 폐하?"

"아마도?"

"하지 마세요."

"질투가 나는 걸 어떻게 해."

"아까도 말씀드렸지만, 각서 위반이에요."

"그 기준 너무 모호해."

"이번에는 전혀 모호하지 않았어요. 애슐리 경을 곤란하게 만드셨잖아요."

"애슐리 경이 영애에게 그렇게 중요한가?"

"네?"

이건 또 무슨 뜬금없는 이야기래? 내가 눈을 동그랗게 뜨고 그를 쳐다보자, 상당히 언짢은 듯한 레이놀즈의 얼굴이 시야에 들어왔다.

"영애가 그렇게 신경 쓸 만큼?"

"적어도 폐하보다는 안 중요해요."

나는 단호하게 말했고, 그 순간 레이놀즈의 표정이 눈에 띄게 굳어졌다.

'이런 말, 좋아할 줄 알았는데 반응이 의외네.'

하지만 그를 기분 좋게 해주려고 한 말은 아니어서, 나는 계속하고 싶은 말을 했다.

"폐하가 아니었다면 애슐리 경과 말 섞을 일도 없는걸요."

다소 말이 세긴 했으나 사실이었다. 이 남자가 아니라면 내가 애슐리 경과 이야기 나눌 일이 뭐가 있단 말인가? 나와 애슐리 경을 묶어 놓을 공통점은 레이놀즈, 이 남자 이외엔 없었다.

"그러니까 폐하께서는 제게 그렇게 말씀하시면 안 돼요. 아시겠어요?"

"……."

"폐하?"

계속 대답 없이 굳어 있는 그가 이상해서, 나는 눈썹을 찡그리며 그를 불렀다.

"폐하."

"……아."

두 번 정도 부른 뒤에야 그는 정신을 차렸고, 나는 서운하다는 목소리로 그에게 말했다.

"다른 생각 하신 거예요?"

"본의 아니게?"

그 말을 하면서, 레이놀즈는 입꼬리를 길게 끌어 올려 웃었고, 그 순간 나는 멈칫한 채 그 모습을 멍하니 바라볼 수밖에 없었다. 사람을, 미혹하는 미소다.

"기분 좋은 말을 하잖아, 유린이."

"그거 각서 위반……."

"생각해 보니까 아직 여기가 사토르디더라고."

그가 부드럽게 내 말을 끊으며 반박했다.

"적어도 오늘까지 그 각서는 실효가 없어. 그렇지?"

"황궁에서는 칼 같이 지키시겠다는 말씀처럼 들리네요."

"안 그러면 다시 돌아온다면서."

"그랬죠."

"그래서 하고 싶은 말이 있는데, 유린."

물 위를 거니는 듯한 잔잔한 목소리가 내게 말했다.

"만약 그런 일이 생긴다고 해도 난 유린을 찾아서 사토르디로 올 거야."

"모쪼록 오시는 일이 없기를 바라요."

나는 태연하게 그의 말을 맞받아쳤다.

"애당초 제가 사토르디로 올 일을 만들지 말아 주세요."

그 말에, 그가 의미심장하게 웃었고, 나는 어쩐지 불안해졌다. 저 아름다운 미소 속에 숨겨진 진의는 뭘까?

"노력할게."

그리고 그 순간, 마법처럼 마차가 멈추었다.

"도착했습니다."

나는 그 말을 듣고도 잠깐 동안 멍하니 있다가, 이내 천천히 자리에서 일어났다. 마차에서 내린 뒤에, 나는 우아하게 팔을 뻗어 레이놀즈에게 손을 내밀었다. 그 모습을 영문 모를 얼굴로 물끄러미 쳐다보는 그에게, 내가 씩 웃으며 설명했다.

"에스코트해드리는 거예요."

그 말을 듣고 레이놀즈가 재밌다는 듯 낮게 웃음소리를 냈다. 그리고 지그시 나를 살펴보다가, 천천히 내가 내민 손을 잡았다. 여전히 차가운 그 손은, 이상하게도 잡았을 때 불쾌하다는 느낌이 별로 들지 않았다.

.

.

.

이번이 두 번째 시내 방문이었다. 우리는 언뜻 봤을 때 단조롭기까지 한 일정을 그대로 수행했다. 거리를 구경하면서 주전부리를 사 먹었고, 그러면서도 꼬박꼬박 점심까지 챙겨 먹었다. 그래도 한 달의 마지막 날답게 지난번에 왔을 때보다 화려하고 사람도 많고, 활기도 훨씬 넘치는 분위기였다.

'어……?'

다시 걷고 있는데, 무언가가 내 시선을 끌었다. 천막을 친 노점이었는데, 언뜻 보아하니 수정구로 점을 봐주는 곳 같았다. 나 저런 거 완전 좋아하는데! 내가 신난 목소리로 레이놀즈에게 물었다.

"저거 한번 봐볼까요?"

그 말에 나를 따라 시선을 옮긴 레이놀즈가, 이내 점을 봐주는 천막을 발견하고선 콧잔등을 찡그렸다. 그리 긍정적이지 못한 신호에 내가 초조한 목소리로 물었다.

"싫으세요?"

"저런 건 다 사기야."

"사기 아니에요!"

"······."

레이놀즈가 할 말을 잃은 사람처럼 입을 다물었고, 나는 살살 그를 꼬드겼다.

"재미로만 봐요. 네?"

"저기서 우리 두 사람이 얼마나 잘 맞는지도 봐주지 않을까요?"

"뭐?"

"아니, 그러니까."

말을 내뱉고 난 뒤에야 내가 쓴 표현이 그리 적절치 못하다는 사실을 깨달았다. 나는 황급히 말을 돌렸다.

"제 말은, 저희가 군신관계로서 얼마나 잘 맞을지, 그걸 한번 보자는 거죠."

내 말을 들은 레이놀즈가 알 수 없는 눈을 한 채 나를 지그시 쳐다보았다. 나는 어색하게 웃으며 같이 가자는 눈빛을 보냈고, 잠시 후에 레이놀즈의 입에서 짧은 한숨이 흘러나왔다.

"좋아, 가보지."

그 대답에 신나 하려던 찰나, 이어지는 말이 나를 멈칫하게 만들었다.

"군신으로 잘 맞는지, 연인으로 잘 맞는지도 한번 봐보고."

"······."

"뭐해? 어서 안 오고."

갑니다, 가요.

나는 살짝 초조한 마음으로 천막 안에 들어갔다. 천막 안은 대단히 비좁았는데, 사람 둘이 들어가자 완전히 다 차는 수준이었다.

나는 곧 천막 안에 앉아 있는, 붉은 루주를 바르고 갈색의 긴 생머리를 가진 젊은 여자를 발견했다. 상당히 신비로운 외모를 가지고 있었는데, 바로 이 점집의 주인인 듯싶었다.

"안녕하세요."

"어서 오세요."

목소리도 얼굴만큼이나 신비한 느낌을 주었다. 나는 조심스럽게 천막 안에 놓인 의자로 가 앉았다. 등받이가 없는 그 의자는 딱 두 개였는데, 아무래도 세 명 이상 점을 보러오는 경우가 없는 듯했다. 하긴, 보통은 혼자 오거나 연인끼리 오니까.

'잠깐, 설마⋯⋯.'

우리 둘을 커플이라고 생각하는 건 아니겠지? 생각이 끝나기 무섭게, 여자가 말을 걸어왔다.

"연인이신가 봐요?"

"아, 아니에요."

"아니에요?"

여자가 기묘하게 웃으며 고개를 갸웃거렸다.

"그렇구나. 난 당연히 연인인 줄 알았죠."

"왜, 왜요?"

"나이대 맞는 남녀가 연인이 아니라면 여기를 찾을 이유가 없어서."

……하긴. 연인이 아니면 왜 여기 온다고 생각하겠어.

"그럼 여기 왜 왔어요?"

"제가 이분 밑에서 일을 하려고 하는데, 앞으로 원만하게 잘 지낼 수 있을지 궁금해서요."

"으음…… 그러니까 두 사람이 잘 맞는지가 궁금해서 온 거군요?"

"네."

내가 고개를 끄덕이자 갈색 머리 여자는 나와 레이놀즈를 번갈아 바라보았는데, 그 눈빛이 상당히 기묘했다. 그 앞에서는 절대 거짓말이라곤 할 수 없을 것 같은 눈빛이랄까. 거짓말을 한다 해도 전부 들켜버릴 것 같은 눈빛.

나는 떨리는 표정으로 여자가 새파란 수정 구슬 위에 손을 얹으며 집중하는 모습을 지켜보았다. 이런 건 처음 봐서, 너무 신기하고 떨렸다.

"흐음……."

갈색 머리 여자의 입에서 다시 소리가 나온 것은 한참 후였다. 그녀는 알 수 없는 얼굴로 고개를 들어 올려 우리 두 사람을 다시 쳐다보았다. 그리고 입가에 살짝 미소를 띤 채 내게 물었다.

"아가씨."

"네?"

"정말 아가씨가 이 청년보다 아래에서 일하는 거 맞아요?"

"네, 당연하죠."

엘스워드에 이 남자보다 위에 있는 사람이 어디에 있겠어? 하지만 내 대답을 들은 여자는 그럴 리가 없다는 듯 고개를 갸웃거리며 입을 열었다.

"그러기엔 아가씨가 이 세상을 지배할 운명인데요."

……미쳤나 봐. 진짜 지배자를 두고 이게 무슨 소리람.

나는 순간 당황한 얼굴로 레이놀즈를 쳐다보았다. 그는 이곳에 들어와서 계속 한마디도 하지 않고 있는 상태였는데, 갈색 머리 여자의 충격적인 점괘를 들은 뒤에도 변함없었다. 나는 그가 왜 이런 불경한 점괘를 듣고도 내색 한 번 하지 않는 것인지 몹시 궁금해졌지만, 그렇다고 지금 이유를 물어볼 수도 없는 노릇이었다.

"그럴 리가 없는데요."

"점괘는 거짓말을 하지 않는답니다."

여자는 단호하게 말을 이었다.

"이 세상 만물을 지배할 운명을 타고났어요."

그 뒤에 이어지는 말은 좀 더 충격적이었다.

"전형적인 사육사의 운명이네요. 괴물을 손에 넣어 품 안에서 꺾고 길들이는……."

"괴물이요?"

내 주변에 괴물이 어디 있어? 게다가 사육사는 웬 사육사? 말도 안 되는 점괘가 이어졌고, 나는 믿을 수 없다는 듯 절레절레 고개를 저었다. 나름 용해 보여서 기대했더니, 순 엉터리잖아!

더는 들을 수가 없어서 그대로 일어서려는데, 그 순간 여자가 내게 얼굴을 바짝 들이대더니 이렇게 말했다.

"특히 고양이를 아주 잘 길들이겠어요."

"……"

"고양이 좋아해요?"

"……죄송하지만 저희하고는 안 맞는 거 같네요."

나는 주머니에서 동화 세 닢을 꺼낸 다음 거칠게 탁자 위에 올려놓고 자리에서 일어섰다. 여자는 일어서는 나를 잡지 않았고, 나는 레이놀즈를 데리고 천막 밖으로 나왔다.

안에 있는 여자가 듣지 못할 상황이 되어서야, 나는 황당한 음성으로 입을 열 수 있었다.

"순 사기꾼이에요. 저런 뜬구름 잡는 소리 몇 마디 하고 돈을 받는다니."

돈이 아까워 죽을 것 같았다. 하지만 내가 분통을 터뜨리는 상황 속에서도 레이놀즈는 조용히 나를 바라보기만 할 뿐이었다. 마치 심통 난 어린아이를 관조하는 듯한 모습이 다소 마음에 들지 않았다. 나는 눈썹을 아래로 내려뜨리며 그를 쳐다보았다. 여전히 나를 알 수 없는 눈동자로 바라보는 모습이 아까 그 여자의 그 눈빛과 흡사하다. 나는 떨떠름한 목소리로 그에게 물었다.

"왜 그렇게 보세요?"

질문이 끝난 뒤에도 대답은 한동안 이어지지 않았다. 나는 고개를 갸웃거리며 그를 불렀다.

"폐하?"

"유린."

그가 조용히 나를 불렀고, 그 낮고 울리는 목소리에 나는 움찔하며 그를 쳐다보았다. 그는 아까와 다름없는 눈빛으로 나를 바라보다 아주 조금, 입꼬리를 위로 끌어 올려 웃었다.

"이름으로 불러야지."

"여긴 밖이잖아."

⋯⋯난 또 뭐라고.

'괜히 긴장했네.'

황제는 황제라고, 아무리 가까이서 모시고 있어도 때때로 이런 순간 그의 위엄과 카리스마가 느껴졌다. 나는 마른 침을 삼킨 다음 그를 다시 불렀다.

"레이."

그제야 그의 입꼬리가 좀 더 위로 올라갔다. 기분이 좋다는 사실을 역력하게 보여주는 태도에 순간 헛숨이 나와 버릴 뻔했다.

"왜 아까부터 점집 안에서 아무 말도 안 하셨어요?"

"내가?"

"지금도요. 계속 저만 빤히 쳐다보고 계셨잖아요."

"그야."

그가 어렵지 않다는 듯 입을 열어 답했다.

"유린이 예뻐서."

"장난치지 마시고요."

이런 말은 이제 익숙하다. 나는 어깨를 으쓱이며 그에게 말했다.

"점괘 괜히 봤네요. 그냥 폐하 말씀을 들을 걸 그랬어요. 괜히 돈 낭비만 한 것 같네요."

"글쎄."

그는 잠시 생각하는 표정을 짓다 왼쪽 입꼬리를 씩 끌어 올려 웃었다.

"나는 놀랐는데."

"저 여자의 점괘가 너무 어이없어서요?"

"신기했고."

"어떻게 저렇게까지 헛소리를 할 수 있나 신기하셨죠?"

"유린."

그가 조용히 나를 부르며 다시 미소 지었다. 부드러운 눈빛과, 부드러운 미소, 그리고……

"내가 놀라고 신기한 건 그런 이유 때문이 아니야."

……부드러운 목소리였다. 나는 순간 무언가에 홀린 사람처럼

멍한 표정을 지었다가, 빠르게 정신을 차리고 물었다.

"그럼요?"

"너무 잘 맞아서."

내 귀를 의심케 하는 대답이었다. 나는 이제 경악한 얼굴로 레이놀즈를 바라보았다.

"그래서 놀랍더라고. 신기하고."

"……레이."

"어떻게 저렇게까지 맞추지?"

"제가 잘못 들은 거죠?"

나는 여전히 믿기지 않는다는 얼굴로 고개를 저으며 말했다.

"그런 이유 때문이실 리가 없잖아요."

"아니야, 유린."

"……말도 안 돼."

"하지만 정말인걸."

그가 환하게 웃으며 고개를 끄덕였다.

"아주 놀랐어. 황궁으로 초빙하고 싶을 정도야."

"……어디가 그렇게 잘 맞았다는 건지 여쭈어도 될까요?"

"전부 다."

전부 다? 내가 눈썹을 와락 구겼다. 점집의 여자가 내게 말한 건, 내가 이 세상 만물을 지배할 운명을 타고났다는 것. 그리고 사육사의 운명을 타고났다는 것. 특히 고양이를 아주 잘 길들이겠다는 것 정도? 이렇게 늘어놓고 보니 더 황당하기 짝이 없었다.

'……이 중에 맞는 게 있나?'

나는 도무지 이해할 수 없다는 얼굴로 그 세 가지를 나열한 뒤 레이놀즈에게 다시 물었다.

"이 세 개 중에 뭐가 맞나요?"

"전부 다."

똑같은 답이 나를 경악시켰다. 나는 빠르게 고개를 저었다.

'……내가 보기에는 셋 다 아닌데?'

그것도 완전히 아니었다.

"아니에요."

"왜 아니라고 생각하는데?"

"제가 이 세상 만물을 지배할 운명을 타고났다니. 그럴 리가 없잖아요."

"……어째서 그렇게 생각하는데?"

"그야 그런 운명은 저보다는 폐하께 더 잘 어울리는 말이니까요."

아, 혹시 레이놀즈에게 할 말을 나한테 하는 걸로 헷갈렸나? 그럼 좀 말이 되는데.

"그리고 사육사라니. 전 동물 안 좋아해요. 키워본 적은 있지만, 그것도 키우고 싶어서 키운 게 아니고……."

내 말에 그는 잠시 생각하는 표정을 짓다 나를 불렀다.

"유린."

"네?"

"예전에 내가 했던 말, 기억하나?"

"무슨……."

"유린이 내게 아주 특별한 존재라고."

그래서 유린을 다치게 할 일은 절대 없고, 그건 유린이 사랑하는 주변 사람들에게까지 전부 적용되는 내용이라고. 나는 기억난다는 듯 고개를 끄덕였다.

"……네."

하지만 왜 갑자기 지금 그 이야기를? 나는 의아해졌다.

"이유를 비밀이라고 했었지, 아마?"

"그러셨습니다."

"나중에 알려준다고 했었어."

그렇게 말한 뒤에, 그는 다시 침묵하면서 생각하는 표정을 지었다. 나는 그의 입이 다시 열리기를 기다렸다. 그의 입은 이번에는, 아까보다 좀 더 짧은 시간이 흐른 후에 다시 열렸다.

"그 답을 아무래도 알려줘야 할 것 같아."

"……지금이요?"

"아니, 지금은 좀 그렇고."

그가 생각하는 표정을 짓다 대답했다.

"아무래도 환궁한 후에. 그러니까, 유린이 입궁한 후에."

"그때, 예전에 하신 말씀의 진의를 알려주시겠다고요?"

"그래."

레이놀즈는 고개를 끄덕이며 덧붙였다.

"그리고 아마 그 말을 듣게 되면, 오늘 들은 점괘가 왜 맞는지도 알게 될 거야."

그러니까 이 남자는 결과적으로 저 여자의 점괘가 맞다고 말하고 있는 것이었다. 나는 그 말을 듣고 혼란스러운 표정을 지었지만, 레이놀즈는 그런 나를 보고도 기분 좋게 미소 지을 뿐이었다.

❧ ❧ ❧

저녁을 먹고 난 뒤 바깥으로 나오자, 하늘은 완전히 어둑해져 있었다. 저녁이 찾아왔지만 두껍게 옷을 입고 온 덕에 춥지는 않았다. 그래서 이번에는 내가 먼저 그에게 물었다.

"춥지 않으세요?"

"괜찮은 것 같은데. 유린은?"

"저도 오늘은 두껍게 입고 와서."

나는 씩 웃어 보인 다음 말을 이었다.

"아마 곧 있으면 불꽃놀이가 시작될 거예요."

"그럼 이디로 가야 하나?"

"그건 아닌데, 아무래도 분수가 있는 광장이 불꽃놀이가 잘 보여요."

"그럼 그쪽으로 가지."

우리는 분수 광장으로 향했고, 도착했을 때는 이미 우리 이외에도 많은 사람들이 그곳에 모여 있었다. 아이들을 데리고 나온 부부부터, 이제 막 타오르기 시작한 것 같은 젊은 커플들, 노인들까지 연령층도 다양했다. 나는 혹시라도 자리가 없을까 봐 재빨리 광장 안에 남아 있던 벤치 중 하나로 달려가 자리를 차지했다. 그런 내 모습을 본 레이놀즈가 피식 웃는 모습이 눈에 들어왔다.

그가 내 쪽으로 다가오며 중얼거렸다.

"뭐가 그렇게 급하다고."

"자리가 다 나가면, 계속 서 계셔야 해요."

"그게 왜?"

"'그게 왜'라뇨?"

나는 황당해 하는 얼굴로 설명했다.

"어떻게 레이를 서 있게 하겠어요, 제가."

곧 시녀 될 자의 도리로서, 황제를 그런 식으로 세워두는 건 말도 안 되는 일이었다.

"그런 불충을 저지를 수는 없죠."

"흐음."

그가 의미 모를 소리를 흘리며 가만히 하늘 위를 올려다보았다. 깜깜한 하늘에는 별도, 달도 없었다. 주변을 밝히는 건 오로지 등불

뿐이었다.

"오늘은 하늘이 깜깜하군."

"마음에 드시죠?"

대수롭지 않게 말했다가, 이내 그것이 생각 없는 대꾸였다는 걸 깨닫고선 '아차' 하는 표정을 지었다. 미쳤지, 내가······.

'괜히 대꾸해서는.'

입이 방정이다. 나는 조심스럽게 레이놀즈의 표정을 살폈지만, 불쾌해 하거나 언짢아하는 기색은 다행히 아니었다. 속으로 안도의 한숨을 쉬면서, 나는 앞으로 더 주의해야겠다고 다짐했다.

그때, 그가 조용히 입을 열었다.

"사실 하늘이 깜깜하다고 해서 특별히 좋거나 한 건 아니야."

나는 천천히 고개를 돌려 레이놀즈를 쳐다보았다. 여전히 그는 하늘을 올려다보고 있었다.

"그래도 지금 이 순간이 좋은 건."

그가 고개를 돌려 나를 쳐다보았다. 우리 두 사람의 시선이 허공에서 얽혀 들어갔다. 그 어두운 긴장감이 몸에 힘을 주게 만들었다. 그는 계속해서, 느릿하게 입술을 움직였다.

"지금 내 옆에 유린이 있어서."

"······."

"그래서 그런 거야."

퍼엉! 그 순간 커다란 굉음이 하늘 위에서 울려 퍼졌다. 긴장한 순간 예상치 못하게 듣게 된 커다란 소리에, 나는 소스라치게 놀라며 몸을 움츠렸다.

퍼엉! 다시 한번 하늘 위에서 폭죽이 터지며 아름다운 불꽃을 만들어냈다. 나는 몸을 움츠리고 있다가, 조금 후 천천히 고개를 들어 올려 그 모습을 확인했다. 정열적인 붉은 색의 불꽃이었다.

퍼엉! 세 번째 불꽃이 터졌다. 이번에는 새파란 불꽃이었다. 그 이후로도 연이어 불꽃이 터져 하늘을 멋지게 수놓았고, 그 아름다움에 도취되어 나는 아까 레이놀즈가 했던 말까지 완전히 잊어버리이 말았다. 무언가에 홀리기라도 한 사람처럼 몽롱한 목소리로 나는 조용히 읊조렸다.

"예쁘다……."

"그러게."

옆에서 조용히 대꾸하는 소리가 들려왔다.

"예쁘네."

그제야 내 시선은 다시 그에게로 향했다. 그 역시 고개를 돌려 다시 나를 바라보았다. 아름답게 터지는 불꽃 아래에서, 그보다 더 아름답게 미소를 지으면서. 그때 나는 불현듯, 어쩌면 이 남자가 지금 하늘 위에서 터지는 불꽃보다 더 위험한 남자일지도 모르겠다는 생각이 들었다.

"앞으로 잘 부탁해, 유린."

내게서 시선을 떼지 않은 채 그가 속삭였고, 나는 주문에 걸린 사람처럼 고개를 끄덕였다. 퍼엉! 그리고 이어지는 소리에, 내 시선은 어느새 그에게서 하늘 위로 다시 이동했다. 하지만 레이놀즈의 시선은 여전히 나를 향해 있었다.

그 시선에 부담을 느낀 것도 잠시, 나는 다시 한번 빠르게 아름다운 하늘에 도취되었다. 그래서 그가 나를 계속 바라보고 있다는 사실도 아주 뒤늦게야 눈치챌 수 있었다. 불꽃이 터지는 소리가 멎어질 즈음에. 그래서 내가 천천히 그에게로 다시 시선을 돌려주었을 즈음에. 그 사실을 깨닫고 나는 이상하게 부끄러워져서 서둘러 자리에서 일어섰다. 그런 나를 의아한 듯 바라보는 눈동자에, 나는 어색하게 웃으며 입을 열었다.

"이제 그만 돌아가 보는 게 좋겠습니다. 더 늦어지면 내일 출발하는데 지장이 생길지도 모르니까요."

내 말에, 레이놀즈는 잠시 희미하게 웃는 얼굴로 나를 바라보다 의자에서 몸을 일으켰다. 그가 일어나는 모습을 확인한 뒤에 나는 별생각 없이 걷기 시작했다.

그러다 어느 순간 냉기가 내 손을 잡는 것이 느껴졌다. 살짝 놀란 얼굴로 옆을 바라보자, 레이놀즈가 아까보다 더 짙어진 미소를 지으며 나를 바라보고 있었다.

"차갑나?"

나는 고개를 저었다.

"……아뇨."

나를 꼼짝 못 하게 만드는 그 미소와 내 짧은 대답을 끝으로, 우리는 침묵을 지키며 마차를 향해 걸어갔다.

그것이 나와 그의, 사토르디에서의 마지막 밤이었다.

⚘ ⚘ ⚘

사토르디 저택으로 돌아온 뒤의 마지막 밤은 고요하게 지나갔다.

그건 하루 종일 돌아다니느라 너무 피곤한 나머지, 내가 곧바로 곯아떨어졌기 때문이었다.

"아가씨, 일어나세요."

나를 깨운 것은 그다음 날, 에이미의 목소리였다. 나는 부스스 눈을 뜨며 뿌연 시야를 명확하게 하기 위해 눈을 세 번 깜빡였다. 가장 먼저 보이는 건 에이미가 내 전용 그릇에 세숫물을 담아 가져오는 모습이었다.

에이미는 늘 그렇듯 내게 정성스럽게 세수를 시켜 주며 말했다.

"오늘 출발이에요. 알고 계시죠?"

"당연하지."

아무렴 그걸 까먹을 리가. 나는 자신 있게 대답했다.

"오전 10시."

"네. 오전 10시."

에이미가 안도의 한숨이 섞인 목소리로 내 말을 따라 했다. 오전 10시. 그때 출발해야 저녁 즈음에 수도까지 도착할 수 있었다. 나는 세수를 마친 뒤에 간단히 아침 식사를 마치고, 옷을 챙겨 입은 다음 마지막으로 짐을 확인했다.

'다행히 빠진 건 없는 것 같네.'

자질구레한 건 어차피 황궁에서 다 제공해 주니까 빠져도 상관 없었이 할 테지만.

'진짜 완벽한 직장이야.'

노예도 아닌데 숙식 제공에 고액 봉급이라니! 세상에 이런 직장이 어디 있어?

"아가씨, 인사 드리러 가셔야죠."

거의 출발 준비가 마쳐졌을 때 에이미가 건네 온 말에, 나는 하마 터면 깜빡할 뻔했다는 얼굴로 손뼉을 치며 중얼거렸다.

"내 정신 좀 봐."

떠나기 전에, 나는 마지막으로 가족들과 인사하는 시간을 가졌다. 별채에서 지내던 오드리와 사토르디 자작부부는 나와 레이놀 즈를 배웅하기 위해 전부 현관 앞으로 모였고, 나는 그들과 차례로 포옹하며 다시 만날 날을 기약했다. 영영 떠나는 것도 아니고 황궁으로 일하러 가는 거라, 그들은 내가 떠나는 것에 아쉬워하기는 했지만 슬퍼하지는 않았다.

나는 그런 아무렇지 않은 분위기가 편했다. 다만 나를 유독 따르던 오드리는 조금 슬퍼하는 것도 같았다.

"언니가 많이 보고 싶을 거야."

울먹이는 목소리로 말하는 오드리를 한 번 더 안아 주고, 그녀의 귓가에 작게 속삭였다.

"언제 한번 수도로 와. 언니가 황궁 구경 시켜줄게."

"그런 것보다, 그냥 조금만 있다 왔으면 좋겠어."

"맙소사, 알았어."

나는 마지막으로 그녀의 이마 위에 키스하며 약속했다.

"아주 오래 있지는 않을 테니까, 그때까지 건강히 있어야 해. 알았지?"

"언니도."

그것으로 인사는 끝이었다. 나는 아쉬운 눈으로 가족들을 바라보았다가, 천천히 몸을 돌려 마차 안에 몸을 실었다. 예상치 못하게 인원이 두 명 늘었기 때문에 나는 레이놀즈의 마차에, 에이미는 시종들의 마차에 타기로 되어 있었다. 나는 레이놀즈의 맞은편에 앉은 다음 살짝 미소 지으며 그에게 말했다.

"엄청 떨리네요. 수도에 가는 건 이번이 처음이거든요."

"떨 필요 없어. 수도라고 해도 별것 없으니까."

나는 레이놀즈의 그 말에 황당함을 감추지 못했다. 세상에 자기 나라의 수도를 이런 식으로 말하는 황제는 레이놀즈뿐일 것이다.

"그럴 리가요."

"긴장할 필요 전혀 없다는 이야기야."

"어떻게 긴장을 안 하겠어요. 다른 것도 아니고 폐하의 시녀로 가는 건데."

곧바로, 나는 살짝 걱정스러워하는 목소리로 물었다.

"잘 적응할 수 있을까요?"

"물론이지."

레이놀즈가 자신하는 듯한 얼굴로 고개를 끄덕였다.

"유린을 어렵게 하거나 힘들게 하는 건 절대 없을 거야. 약속할게."

그 약속이 진짜인지 아닌지는 잘 모르겠지만, 내게 힘이 되었다는 건 확실했다. 나는 믿음직스럽다는 목소리로 대꾸했다.

"감사합니다. 말씀만이라도 고맙네요."

"영 못 믿겠다는 말튼데."

"시녀는 전데 폐하께서 제 편의를 봐주시면 그것도 웃기지 않을까요?"

"내가 애원해서 오는 거잖아."

레이놀즈가 나를 빤히 쳐다보며 물었다.

"아니야?"

나는 잠시 머뭇거리다 고개를 끄덕였다.

"그렇네요."

"그러니까."

그가 씩 웃으며 나를 끝까지 안심시켰다.

"걱정할 필요 없어, 유린."

"네, 감사……."

'합니다'라고 뒷말을 이으려던 나는, 치명적인 무언가를 깨닫고 선 말을 돌렸다.

"잠깐, 폐하."

"응?"

"아까부터 자꾸 저 이름으로 부르시네요."

내가 눈을 가늘게 뜨며 물었다.

"이대로 마차 돌려서 집으로 갈까요, 저?"

하지만 내 협박 아닌 협박에도 레이놀즈는 태연했다.

"아직 황궁이 아니잖아."

"폐하……!"

"그 각서는 황궁에 도착한 뒤부터 실효가 있는 걸로."

헐. 이런 식으로 자꾸 요리조리 피해 가는 건 도대체 어디서 배운 건지.

"그렇지, 유린?"

말문이 막힌 내 모습을 보고 긍정의 의미라고 생각했나 보다. 나는 눈을 가늘게 뜨고 그에게 못 박듯 말했다.

"안 그래요. 각서 내용은 지금부터 이행하시는 걸로."

"너무 빡빡한데."

그 말에 나는 더 황당해졌다. 아니, 이분이? 호의가 계속되니 권리인 줄 아시네!

"원래 각서 쓴 직후부터 바로 이행하셔야 하는 걸 지금까지 미룬 거라고요."

그건 본인도 인정하는지 이번에는 말이 없었다. 나는 의기양양한 표정으로 말했다.

"그러니까 지금부터 시작이에요. 이젠 더 못 미뤄요."

"……"

이번에는 레이놀즈가 눈을 가늘게 뜨고 날 쳐다보았다. 저건 분명 삐졌다는 증거다. 내가 그에게 삐졌냐고 물어보려던 찰나였다.

"환궁하면 바로 알려주려고 했는데."

레이놀즈의 말에 내가 의아한 얼굴로 물었다.

"뭘요?"

"어제 말했던 거."

그 말에 곰곰이 회상해보니, 아, 기억났다. 내가 이 남자에게 특별한 이유, 말해준다고 했었지. 환궁하면 말해준다고 했는데, 지금 설마 그걸…… 미루겠다는 거야? 이제 내 눈도 가늘어졌다.

"안 알려주실 셈이세요?"

"그럴까 고민 중이야."

"헐."

"각서 이행을 좀 뒤로 미루면 고민이 사라질 것 같은데……"

"안 알려주셔도 괜찮아요."

내가 당당하게 나가자 레이놀즈는 당황한 모양이었다. 아닌 척하지만 그런 분위기가 났다.

"왜?"

"이미 알고 있으니까요."

사실 이유가 궁금하긴 했지만 여기서 휘말리면 안 된다. 최대한 관심 없는 척, 하나도 안 궁금한 척⋯⋯.

"폐하는 어차피 절 좋아하시잖아요."

스스로 말해 놓고도 뒤늦게 부끄러워지는 말이었다. 나는 붉어지려는 얼굴을 무시하며 덧붙였다.

"그러니까 이제 그 이유는 안 궁금해요."

"정말 안 궁금해?"

"네. 그러니까 그걸 핑계로 각서 이행을 미루시려는 속셈이었다면 마음 접으세요."

내 말에 레이놀즈가 '끙' 소리를 냈고, 나는 처음으로 그와 이야기하면서 휘말리지 않고 주도권을 잡은 것 같다는 생각에 신이 났다. 그때 레이놀즈의 목소리가 들려왔다.

"후회할 텐데."

"제가요?"

"응."

"왜요?"

그 뒤에 들려오는 대답이 너무 뜻밖이어서, 나는 완전히 얼어붙고 말았다.

"네로와 관련된 이야기거든."

℘ ℘ ℘

처음 레이놀즈의 그 말을 들었을 때, 나는 한동안 이해가 가지 않았다.

'도대체 어떻게 해야 레이놀즈가 날 특별하게 여기는 이유가 네로와 연관 지어질 수 있는 거지?'

레이놀즈가 날 '특별하다'고 말했던 건 내가 네로 이야기를 하기한참 전이다. 그러니까 급조된 이유가 아닌 이상 그건 불가능했다.

'하지만 내가 특별하다고 했을 때부터 이유가 따로 있는 듯한 눈치였는데……'

그렇다면 결국은 하나로 귀결된다.

'처음부터 진짜 이유가 네로와 연관이 되어 있었던 거야.'

하지만 그건 그거대로 말이 안 된다. 엘스워드의 황제 레이놀즈와 대한민국의 길냥이 네로.

'이 두 존재 사이에 공통분모가 있기는 한가?'

애당초 사는 세계부터가 달랐다. 말이 안 됐다.

'그럼 도대체 왜 나한테 그런 말을 한 거지?'

머릿속이 복잡해졌다. 내 눈썹 사이가 자연스럽게 좁혀졌고, 레이놀즈는 그 모습을 봤는지 쿡 웃으며 물어왔다.

"궁금하지?"

"뭐가요?"

"내가 왜 그런 말을 했는지."

그렇게 말하면서 레이놀즈는 짙게 웃어 보였다. 그는 아마 내가 이렇게 반응할 줄 알고 있었을 것이다. 사실 모르는 게 더 말이 안 되기는 하지만. 결국 나는 머뭇거리다 입을 열었다.

아, 궁금해 못 참겠네!

"각서 이행을……."

내가 쭈뼛거리며 물었다.

"얼마나 미루고 싶으신데요?"

"나도 양심이 있어서, 마음 같아서는 파기하자고 하고 싶은데……."

이 사람이? 내가 도끼눈을 뜨고 그를 쳐다보자, 레이놀즈가 낮게 웃었다.

"황궁에 도착할 때까지만 유린이라고 부르게 해줘."

"어차피 몇 시간 안 남았잖아. 응?"

"제 이름을 부르는 게 그렇게 좋으세요?"

이해가 영 안 갔다. 차라리 파기라는 무리한 카드를 꺼내 들었다면 이해가 좀 갔을 텐데, 고작 그 몇 시간을 위해 이렇게 머리를 쓰는 게 이해가 안 된달까. 그리고 내 질문을 들은 레이놀즈야말로 이해가 안 간다는 표정으로 되물었다.

"당연한 거 아니야?"

"뭐가요?"

"좋아하는 사람을 이름으로 부르면 기분 좋은 거."

그 말을 듣고 나는 순간 말문이 막혔다. 저런 대답을 들으니 어린아이가 들고 있던 솜사탕이라도 뺏은 기분이다.

"그러니까 몇 시간이라도 잔뜩 누리고 싶다고."

"……제가 그렇게 좋으세요?"

나는 참다못해 결국 물었다. 내가 그렇게 좋은가? 날 이름으로 부르는 것만으로도 행복해질 만큼?

"응."

대답은 금방 나왔다. 1 더하기 1이 2냐는 질문에 답하는 것처럼 어렵지 않게.

"정말 좋아해."

"……왜요?"

"지금 이유를 묻는 거야?"

레이놀즈가 웃음 섞인 목소리로 물었고, 나는 고개를 끄덕였다.

'이 남자는 도대체 내 어디가 그렇게 좋은 거지?'

스스로가 매력적이라고 생각해본 적은 없다. 그렇다고 경국지색이라는 말이 어울릴 정도로 미인도 아니고. 그럼 도대체 이 남자는 내 어떤 점 때문에 이렇게 좋아한다고 하는 걸까?

"그 이유가 결국 내가 유린을 특별하게 생각하는 이유인데."

"……."

"다 연결되어 있어."

"……좋아요."

결국 나는 한숨을 내쉬며 고개를 끄덕였다. 이 남자는 장사를 했어도 잘했을 거야. 사람을 이런 식으로 설득시키다니.

"대신 딱 황궁에 도착하기 전까지만 이에요. 나중에 딴소리하시기 없기?"

"물론이지."

의기양양하게 말하는 목소리가 영 못 미덥긴 했지만 어쩔 수 없었다. 나는 큼큼 헛기침을 한 다음 그에게 물었다.

"그래서, 그 이유가 뭔데요?"

"황궁 가서 말하면 안 될까?"

이 사람이!

"마치 지금 알려주실 것처럼 그러셨잖아요."

"다 유린을 위한 거야."

변명이 가관이었다. 지금 누구 탓을 하는 건지. 나는 어이없는 표정을 지었다.

"여기서 들으면 감당 못 할 것 같아서."

"도대체 무슨 이야기길래……."

"한 번 뱉은 말은 주워 담을 수 없어."

레이놀즈가 의미심장한 눈빛으로 나를 바라보며 물었다.

"그래도 여기서 듣겠다면 뭐, 말리지는 않을게."

이런 말을 들으니 불안해지는 게 인지상정이었다. 나는 결국 깊게 한숨을 내쉬며 말했다.

"좋아요. 그럼 폐하께서는 언제 말씀하실 생각이셨는데요?"

"우리가 황궁에 도착하고……."

레이놀즈가 여유로움이 묻어나는 목소리로 답했다.

"내 이야기를 듣고도 유린이 숨을 구석이 있을 때?"

"……네?"

도대체 무슨 이야기기에 저런 말을 하는 거지? 나는 슬슬 불안해졌다. 내가 상상하는 것보다 더 크고 어마어마한 무언가가 있는 걸까?

"어떻게 할래?"

선택권이 내게 넘겨졌다. 나는 머뭇거리다가, 한참 후에 고개를 끄덕였다.

"폐하의 뜻에 따를게요."

아무래도 지금 들으면 큰일 날 말인 듯했다. 괜히 후회할 바에는 그냥 얌전히 말 듣는 게 낫겠지.

❧ ❧ ❧

마차가 엘스워드의 수도인 퀴른에 도착한 것은 그날 밤이 되어서였다. 나는 퀴른에 도착하기 직전까지 잠을 자다가 퀴른의 중심부에 들어섰을 때부터 서서히 잠에서 깨어났다. 일어나보니 밖이 깜깜하기에 어느 정도 다 왔을 거라고 유추하던 즈음이었다.

"일어났어?"

다정하게 묻는 목소리을 들으며, 나는 아직 잠에서 덜 깨 흐릿한 눈으로 레이놀즈를 쳐다보았다. 한숨도 안 잤는지 말짱해 보이는 모습이 들어왔다. 나는 조금 놀란 눈으로 물었다.

"계속 안 주무시고 계셨던 거예요?"

"응."

"피곤하셨을 텐데."

"괜찮아."

그가 작게 입꼬리를 끌어 올렸다.

"다른 일 하느라 바빴거든."

"다른 일이요? 뭔데요?"

"음……."

한 번 꼰 다리의 무릎 위에서 레이놀즈는 손가락을 톡톡 두드렸다. 그러면서 대답을 미루더니 어느 순간 천천히 입을 열었다.

"자는 사람 구경?"

"……설마 저요?"

"여기 유린 말고 또 누가 있어."

그 말에, 나는 창밖을 살펴보며 위치를 가늠했다. 유감스럽게도 아직 황궁에 도착하기 전이었다. 나도 모르게 입술을 내밀자, 그 모습을 본 레이놀즈가 낮게 웃었다.

"아직 도착하려면 조금 더 남았어."

"좋아요. 마음껏 부르세요."

내가 냉소적으로 대꾸했다.

"제가 계속 자서 부르실 시간도 없으셨을 텐데."

"그건 아니야. 자는 동안에도 계속 불렀거든."

"……."

"못 들었어?"

"……당연하죠."

자는데 어떻게 들어요. 내가 황당한 눈으로 그를 쳐다보았지만, 레이놀즈는 개의치 않고 아쉬워했다.

"아쉽네. 이게 마지막일 텐데."

눈살까지 폭 구기며 아쉬워하는 게 영 마음에 걸려서, 나도 모르게 이렇게 말해버렸다.

"도착하려면 아직이라면서요."

"응?"

"지금이라도 부르시던가요."

아차. 그 말을 꺼내고 뒤늦게 '내가 무슨 말을 한 거지'라는 생각이 들었다. 하지만 뭐, 어때. 스킨십도 아니고 그냥 이름 부르는 건데. 이 정도로 빡빡하게 굴 필요는 없을 것이다. 거기다 레이놀즈 말마따나 이번이 마지막이었으니까.

"유린."

그가 냉큼 나를 불렀다. 나는 별 감흥 없는 눈으로 그를 쳐다보았다. 아이처럼 방긋 웃는 모습이 어색하지 않고 자연스럽다. 나도 모르게 피식 입꼬리가 올라갔다.

"유린."

두 번째 호명이었다. 나는 그에게서 시선을 떼지 않고 가만히 응시했다. 이번에는 그의 눈빛이 처음보다 더 짙어졌다. 말로 표현하기 어려운 감정을 잔뜩 품고 있는 모양새다.

'……저렇게 좋을까.'

그 눈빛에 내 마음에 알 수 없는 동요가 일려던 찰나, 예상치 못한 한 마디가 내 가슴속에 푹 꽂혔다.

"좋아해."

진솔한 고백과 담백한 미소. 그 두 가지에 내 심장은 뛰지 않을 수 없었다. 나는 순식간에 멍해진 얼굴로 그를 바라보았다. 처음 듣는 고백도 아닌데 이상하다, 기분이.

"도착했습니다, 폐하."

뒤이어 마부의 목소리가 들렸고, 나는 그 소리에 겨우 정신을 차릴 수 있었다. 어색한 미소를 입가에 걸며, 나는 냉정하게 들리는 목소리로 그에게 말했다.

"이제 각서를 이행해주셔야 합니다, 폐하."

딱 두 번의 호명. 하지만 그 어느 때보다도 위험했다. 레이놀즈는 내 말에 대꾸하지 않았고, 나는 신경 쓰지 말자고 생각하며 앞으로 흘러내린 잔머리카락을 귀 뒤로 넘긴 뒤 마차 안에서 내렸다. 그리고 예상했던 것보다 훨씬 거대한 규모의 웅장한 황궁과 마주했다.

"와……."

단 한 번도 본 적 없는 장엄함에 놀라 아무 말도 못 하고 있는 내게, 뒤이어 내린 레이놀즈가 다가와 낮은 목소리로 속삭였다.

"황궁에 온 걸 환영해, 유린."

마침내, 황궁이었다.

4

Lady-in-waiting

Part 2. Hofleben

"어서 오세요, 레이디 유리네트."

황궁에 온 나를 가장 먼저 맞아준 이는 맥켈리드 백작부인이
었다.

"황궁에 온 걸 환영합니다."

벨벳을 닮은 녹색 머리카락과 모래 같은 금색 눈동자를 지닌 그
녀는 대략 40대 후반쯤 되어 보였는데, 황제가 기거하는 중앙궁의
시녀장이라고 스스로를 소개했다.

나는 정중하게 허리 굽혀 그녀에게 인사했다.

"안녕하세요, 맥켈리드 백작부인. 만나 뵙게 되어 기쁩니다."

"저도 그래요, 레이디 유리네트. 폐하께 말씀은 들었답니다. 이번

에 사토르디에서 폐하를 모셨다지요?"

"그렇습니다, 부인."

"사실 좀 놀랐어요. 폐하께서 곁에 사람을 잘 두지 않으시는 편이라……. 이런 문제에 대해서는 꽤 까다로우신 분이거든요. 그만큼 영애께서 대단하신 분이라는 것이겠지요."

과분한 칭찬에 몸 둘 바를 모를 지경이었다. 나는 머쓱하게 웃으며 대답했다.

"그저 운이 좋았을 뿐이랍니다."

"폐하께서는 허투루 사람을 쓰지 않으세요. 영애께서는 겸손하시군요."

맥켈리드 백작부인이 우아하게 미소 지은 다음 나를 데리고 어딘가로 걸어갔다. 나는 난생처음 보는 궁전의 구조에 낯설어하면서 갓 태어난 새끼오리처럼 그녀를 뒤따라갔다.

"여기예요."

그녀가 나를 데리고 온 곳은 좁지 않은 화려한 방이었다. 그 안으로 들어선 내가 감탄하는 목소리로 말했다.

"너무 예쁜 방이네요."

"마음에 들어요?"

"물론입니다, 부인."

"잘됐네요. 오늘부터 영애께서 쓰실 방입니다."

"여기가요?"

생각했던 것보다 너무 좋은데……? 내가 얼떨떨해 하자, 맥켈리드 백작부인이 호호 웃으며 답했다,

"아무렴 여기보다 누추한 방을 드릴 수는 없지요. 폐하께서 특별히 이 방을 주라고 지시하셨답니다."

"아……."

"일단 오늘은 밤이 늦었으니 푹 쉬시는 게 좋겠어요. 하녀들이 잠자리에 드실 수 있게 도울 겁니다."

그 말을 마친 뒤에, 맥켈리드 백작부인은 내일 보자는 말만 남기고 내 방에서 나갔다. 이제 뭘 해야 하는지 고민하고 있는데, 곧 세 명의 하녀가 방 안으로 들어오더니 내게 인사했다.

"오늘부터 영애를 모시게 된 아니스라고 합니다."

"저는 리셸이라고 합니다."

"패티라고 해요. 잘 부탁드립니다!"

나는 어색한 눈으로 세 사람을 쳐다보며 인사를 받아 주었다.

"만나서 반가워요. 유리네트 조셋 엘 사토르디입니다."

"에이미라고 해요. 유리네트 아가씨를 모시고 있습니다."

"모시게 되어 영광이에요!"

패티라고 소개했던 분홍색 머리카락 여자가 큰 목소리로 말했다. 하녀로 배정된 세 명 중 가장 어려 보였다. 나는 별생각 없이 질문했다.

"다들 나이가 어떻게 돼요?"

"전 스물두 살입니다."

"전 스무 살이요."

"전 열일곱 살이에요!"

아니스가 가장 나이가 많고, 그다음이 리셸, 그다음이 패티였다.

"저랑 아가씨도 스물이에요. 리셸과는 동갑이네요."

에이미가 살짝 흥분한 듯한 목소리로 말했고, 리셸도 좋아하는 눈치였다. 그때 아니스가 조용한 목소리로 내게 말했다.

"일단 오시느라 피곤하셨을 테니 목욕부터 하시는 게 좋겠어요."

그래서 나는 짐도 풀기 전에 목욕부터 하게 되었다.

에이미를 포함해 네 명의 하녀들이 전부 내 목욕 시중을 들었는데, 평소와 다름없는 상황이긴 했지만 아무래도 낯선 사람들이라 긴장되는 건 어쩔 수 없었다. 나는 아이스 브레이킹을 위해 먼저 대화를 시도했다.

"제게 배정된 하녀는 그럼 세 분이 전부인가요?"

"그렇습니다, 레이디 유리네트."

"혹시 저희 셋으로 부족하시다면 시녀장님께 말씀해 보세요."

"아뇨. 그런 건 아니에요."

네 명이면 충분했다. 사람이 많으면 괜히 번잡스럽기만 하고.

"그냥 궁금해서요. 세 분을 만나게 되어 기뻐요."

그때 아니스가 조용히 지적했다.

"저희에겐 하대를 하셔야 합니다, 영애."

"아, 응."

낯선 사람들이라 습관적으로 존댓말이 나왔다. 나는 어색하게 웃은 뒤 고개를 끄덕였다.

'아니스는 나보다 연상이라 하대하는 게 좀 불편한데······.'

그래도 어쩔 수 없었다. 이 세계에서 영애가 하녀에게 존댓말을 쓰는 건 어긋난 일이었으니까. 상대가 아주 지긋한 나이라면 또 모를까.

"궁금하신 점은 없으세요? 저희가 다 말씀드릴게요."

이번에는 리셸이 물어왔다. 아니스보다는 좀 더 생기 있는 목소리였다.

"맥클리드 백작부인께서 영애를 잘 모셔야 한다고 신신당부하셨거든요."

"음······."

나는 잠깐 생각하는 소리를 냈다가 입을 열었다.

"난 황궁이나 황가에 대해 아는 게 거의 없어서."

기껏해야 책에서 본 제국사가 전부였다. 하지만 그건 어디까지나 공식적인 이야기라, 크게 도움 될 일은 드물 것 같았다.

"그냥 다 말해주면 고마울 것 같아."

"그건 또 제가 전문이죠."

리셸이 아까보다 더 흥분한 목소리로 말했다.

"이래 봬도 제가 중앙궁에서 정보통 역할을 맡고 있거든요. 앞으로 황궁에서 일어나는 소식들은 제가 다 물어다 드릴게요."

퍽 믿음직스럽게 들리는 목소리에 나도 모르게 미소가 지어졌다.

"너희들은 황궁에 얼마나 오래 있었어?"

"아니스 언니는 5년 동안 중앙궁에서 하녀로 일했어요. 전 고작 3년 됐고, 패티는 작년에 들어왔어요."

"그랬구나."

어쩐지 아니스가 제일 차분하고 조심스러운 성격처럼 보인다 했더니. 이 이유가 있었구나.

"폐하의 시녀들은 평소에 주로 뭘 하니? 시녀로 일하는 건 이번이 처음이라 잘 모르거든."

그런데 그 질문을 들은 세 하녀들은 전부 곧바로 대답하지 못했다. 우물쭈물하는 기색에 나는 의아해진 목소리로 물었다.

"왜 그래?"

"그건 저희도 잘 모릅니다."

대답한 건 아니스였다. 나는 여전히 의아해 하는 목소리로 물었다.

"응? 왜?"

"영애 또래의 시녀가 입궁한 건 이번이 처음이거든요."

"그게 무슨 소리야?"

"중앙궁 시녀들은 전부 기혼이에요. 그마저도 수가 적고, 대부분

시종들이 폐하를 모시고 있어요."

"그 말은……."

"네. 영애 중에서는 최초로 시녀로서 입궁하신 거예요."

리셸이 고개를 끄덕이며 내 몸을 부드럽게 닦아 주었다.

"그래서 오시기 전에 다들 신기해했어요. 폐하께서 영애 또래의
시녀는 곁에 두신 적이 없으시거든요."

"거기에 특별한 이유가 있는 거야?"

"그건 저희도 잘 모릅니다. 폐하께서 공식적으로 이유를 밝히신
적이 없거든요."

"이례적인 일이라 저희도 영애께 배정되기 직전까지 믿기지가
않았어요."

그 말을 듣고 나는 당황스러워졌다. 당연히 내 또래의 시녀들이
있을 줄 알았는데……

"아마 영애께서 하실 일은 내일 맥켈리드 백작부인께서 말씀해
주시지 않을까요? 지금은 밤이 너무 늦었으니까, 오늘은 아무 생각
없이 푹 쉬시는 게 좋겠어요."

나는 고개를 끄덕였다. 첫날부터 조급하게 마음먹을 필요는 없
으니까. 무슨 임무 완수를 하려고 여기 온 것도 아니고.

"자, 가운을 입혀 드릴게요."

리셸과 패티가 조심스럽게 내 몸에 배스 가운을 입혀 주었다. 사
토르디 저택에서도 똑같이 받았던 대우인데, 황궁의 그것은 좀 더

격식 있는 느낌이 났다.

나는 살짝 얼떨떨한 기분으로 욕탕에서 나와 화장대 앞으로 걸어가 앉았다. 그리고 리셸과 패티가 내 머리카락을 말려주기 시작하는 사이 아니스와 에이미는 내 짐을 정리했다.

"이런, 벌써 자정이 다 되었네요."

그 말을 들은 건 내 머리카락이 뽀송뽀송하게 다 마르고, 짐 정리도 어느 정도 끝났을 무렵이었다. 에이미는 취침 시간이 더 늦어지면 안 된다면서 이만 자야 한다고 강하게 주장했다. 리셸이 아니스와 함께 섬세하게 내 잠자리를 봐주었고, 나는 얼떨결에 침대 위에 누웠다.

"안녕히 주무세요, 아가씨."

"다들 잘 자."

문이 닫히고 혼자가 되었을 때, 여독으로 인한 피로는 상당했지만 긴장한 탓인지 잠이 오지 않았다. 그래도 지금 안 자면 자는 시각이 너무 늦어질 것 같아서 나는 억지로 눈을 감았다. 그리고 어느 순간 서서히 잠기운이 도는 것을 느끼며 미소 지었다.

그렇게 황궁에서의 첫 번째 밤이 지나갔다.

⅌ ⅌ ⅌

눈이 자연스럽게 떠지며 일어나는 건 참 오랜만이었다. 이전에는 늘 에이미가 깨워야 일어나고는 했으니까. 나는 침침한 눈을 깜빡이며 자리에서 일어났다. 주변을 둘러보니 아직 어두운 게 새벽인 듯했다. 나는 길게 하품하며 기지개를 켰다.

"하암⋯⋯."

"일어나셨어요?"

기지개를 다 켜기 무섭게 아니스가 침실 안으로 들어왔다. 나는 상쾌한 기분으로 빙긋 웃으며 아니스에게 인사했다.

"좋은 아침이야, 아니스."

그런데 그 말을 들은 아니스의 표정이 조금 이상했다. 하지만 나는 대수롭지 않게 여기고 물었다.

"지금 몇 시야? 아침 6시쯤 됐나?"

그리고 들려오는 대답에 나는 까무러치게 놀랄 수밖에 없었다.

"정오랍니다, 영애."

"⋯⋯뭐?"

그 말이 남아 있던 잠기운을 확 깨워 주었다. 나는 눈을 동그랗게 뜬 채로 말을 더듬었다.

"그, 그렇지만⋯⋯ 아직 이렇게 주변이 어두운⋯⋯."

내 말이 끝나기도 전에 리셸과 패티가 침실 안으로 들어와 굳게 닫혀 있던 커튼을 양옆으로 확 젖혔다. 동시에 눈 부신 햇살이 침실 안으로 쏟아졌다. 순식간에 밝아진 방 안에서, 나는 할 말을 잃고 나를 빤히 쳐다보고 있는 세 하녀들을 쳐다보았다.

"……왜 안 깨웠어?"

뒤늦게 민망함이 밀려왔다. 어제 자정쯤 잠들었으니 거의 열두 시간을 내리 잔 셈이다. 이렇게 늦잠을 잘 줄이야.

"정오가 되도록 안 깨우다니. 어떻게 이럴 수가 있어?"

"어쩔 수 없었어요."

리셸이 난감한 표정으로 해명했다.

"영애가 혼자 일어나시기 전까지 절대 깨우지 말라는 백작부인의 명이 있었거든요."

"백작부인?"

나는 망연자실한 표정이 되어 확인조로 물었다.

"맥켈리드 백작부인? 시녀장님 말이야?"

"네."

"그분이 왜……."

나는 도통 이해가 가지 않는다는 얼굴을 했다. 하녀가 아니라 시녀로 오긴 했지만, 열두 시간을 내리 자도록 허락해준다는 게 이해가 안 갔다. 나는 볼 옆을 긁적이며 얼빠진 표정을 짓다가, 방 안으로 들어오는 에이미의 모습에 다시 정신을 차렸다.

"에이미."

"좋은 아침이에요, 아가씨!"

그녀는 내 반응과는 대조적으로 해맑았다. 내가 다시 얼빠진 얼굴로 그녀를 바라보는 사이, 에이미가 태연하게 물어왔다.

"세숫물 준비할까요, 아가씨?"

"에이미는 언제 일어났어?"

"저 아마 8시에요."

"……일찍 일어났네."

"네에? 늦잠 잔거죠."

에이미가 황당하다는 목소리로 말했다.

"평소엔 아침 6시에 일어나요."

"……"

그래, 나만 게으른 걸로.

"세숫물을 준비해 오겠습니다, 영애."

아니스와 리셸이 그 말만 남긴 채 내 방에서 떠났고, 남은 건 여전히 얼이 빠져 있는 나와 에이미, 그리고 패티였다. 내가 민망함을 감추지 못하고 그 자리에 앉아 있는데, 패티가 조용히 빗을 들고 와 내 머리카락을 빗겨 주었다. 그 손길에 다시 잠이 오려는 놀라운 상황을 겪고 있는데, 에이미가 물어왔다.

"아가씨는 푹 주무셨어요?"

"……그렇지 않을까?"

열두 시간이나 잤는데. 나는 눈살을 푹 구기며 물었다.

"왜 아무도 날 안 깨운 거지?"

"못 들으셨어요? 맥켈리드 백작부인이 아가씨를 깨우지 말라고 지시하셨어요."

"아니, 그러니까 왜."

이제는 이마에 주름이 팰 정도로 인상을 찡그리며, 나는 이해할 수 없다는 목소리로 말했다.

"원래 시녀일이 이렇게 한가로운 거야?"

그건 아닐 것 같은데. 나도 잘은 모르지만.

"저희도 그 부분에 대해서는 아무 말씀 못 들었어요. 백작부인께 직접 여쭤보시는 게 낫지 않을까요?"

"그래야겠어."

나는 짤막하게 한숨을 쉬었고, 그때 리셸과 아니스가 세숫물을 들고 침실 안으로 들어왔다. 하녀들의 도움을 받아 단장을 마친 뒤에야 어느 정도 사람 같은 모양새가 났다.

나는 한층 상쾌해진 기분으로 모두에게 말했다.

"맥켈리드 백작부인을 뵈러 가야겠어."

※ ※ ※

세 하녀들이 전부 그녀의 소재를 파악하고 있어서, 맥켈리드 백작부인을 찾는 일은 어렵지 않았다. 그녀의 방은 내 방에서 멀지 않은 곳에 위치해 있었다.

"맥켈리드 백작부인, 사토르디 영애께서 오셨습니다."

"안으로 모시세요."

허락이 떨어지자마자 나는 예의바른 걸음걸이로 안에 들어갔다. 맥켈리드 백작부인이 우아한 자세로 앉아 책을 읽고 있었는데, 두께가 상당한 게 딱 봐도 어려운 책 같았다. 나는 그녀가 앉은 테이블 근처로 다가가 인사부터 건넸다.

"맥켈리드 백작부인께 인사드립니다. 간밤 편안하게 보내셨나요?"

"물론이에요, 레이디 유리네트. 이리 와 앉으세요."

그녀가 보고 있던 책을 제 쪽으로 끌어당겼고, 나는 그녀의 말대로 했다. 맥켈리드 백작부인이 온화한 미소를 지으며 내게 물었다.

"차는 뭘로 준비하라고 할까요?"

"아, 괜찮습니다."

나도 모르게 화들짝 놀라며 고개를 저었다.

"아까 많이 마셔서요."

"그렇군요. 여긴 어쩐 일인가요?"

"들으셨겠지만 시녀 일이 처음이라서요."

나는 조용히 입을 열었다.

"제가 앞으로, 그러니까 오늘부터 해야 할 일이 궁금해서 찾아뵈었어요. 그리고 오늘 제가 너무 늦게…… 기상했는데, 하녀들 말이 부인께서 절 깨우지 말라고 했다더군요."

"으음, 맞아요."

"왜 그런 지시를 내리셨는지 궁금해서요. 여쭤봐도 괜찮을까요?"

"내가 내린 지시라기보다는."

이어지는 말이 날 어벙하게 만들었다.

"폐하께서 내린 지시랍니다."

"……네?"

"폐하께서 사토르디 영애가 숙면을 취할 수 있게 해달라고 제게 말씀하셨거든요. 충분한 휴식이 필요하다고 하시면서요."

"폐하께서……."

나는 순간 할 말을 잃었고, 그사이 맥켈리드 백작부인은 전혀 웃기지 않은 말을 농담처럼 덧붙였다.

"정작 폐하께서는 오늘 네 시간밖에 주무시지 못하셨지만요."

"네에?"

깜짝 놀란 나머지 나도 모르게 큰 소리를 냈다. 그게…… 사람이 버틸 수 있는 수면시간인가요?

"괜찮으신가요?"

"폐하께서요?"

"네. 분명 피곤하실 텐데……. 사토르디에서 황궁까지 가까운 거리는 아니니까요."

"원래 그 정도 주무신답니다. 이제 이곳은 요양지가 아니니까요. 원래의 생활로 돌아오셔야죠."

"그렇긴 하지만……."

자긴 그렇게 자면서 난 깨우지 말라고 했다는 게 너무 웃겼다. 그렇게 바쁜 와중에 그런 지시를 내릴 건 또 뭐람. 괜히 신경 쓰이게.

나도 모르게 입술을 잘근 깨물었다가, 맥켈리드 백작부인의 말에 정신을 차렸다.

"그리고 영애께서는 내일부터 내궁 업무를 숙지하기 위한 교육을 받게 되실 겁니다. 힘든 일정이 되겠지만, 모쪼록 잘 버텨주시기를 바라요."

"네, 열심히 하겠습니다!"

파이팅 넘치게 대답한 뒤, 나는 곧바로 궁금한 목소리로 물었다.

"그럼 폐하와 직접적으로 대면할 일은 없나요?"

"만일 폐하께서 영애를 찾으시면 그때 가보시면 된답니다."

"그렇군요."

"폐하의 방이 어디 있는지는 아시나요?"

몰랐다. 내가 아무 대답도 하지 못하자, 맥켈리드 백작부인은 그럴 줄 알았다는 듯 호호 웃으며 내게 말했다.

"찾기 어렵지 않을 거예요. 영애의 방과 아주 가깝거든요. 내가 알려줄게요."

맥켈리드 백작부인이 자리에서 일어서더니 따라오라는 말도 없이 혼자 방을 나섰다. 나는 뒤늦게 정신을 차리고 그녀를 뒤따라갔다. 그녀의 발걸음이 멈춘 곳은 정말로 내 방과 '아주 가까이'에 있는 곳이었다.

'아니, 이건 가깝다는 표현으로도 부족할 거야.'

정확히 말해 레이놀즈의 방은 내 옆방이었다. 물론 그가 단독으로 사용하는 방이 워낙 넓다 보니 옆방이라고 해도 거리가 좀 있었지만. 어쨌든 옆방은 옆방이었으니까.

"여기에요. 그렇게 안 멀죠?"

"아주 가깝네요."

나는 어색하게 웃으며 고개를 끄덕였고, 맥켈리드 백작부인은 그런 나를 갑자기 빤히 바라보기 시작했다. 갑작스러운 시선에 당황하고 있는데, 그녀가 돌연 내게 말했다.

"폐하를 잘 부탁해요, 영애."

뜬금없는 부탁이라 나는 당황스러워졌다. 저런 말을 하는 이유가 뭘까? 나는 의아한 표정을 지은 채 되물었다.

"네?"

"폐하께서 타인에게 신경을 쓰시는 건 이번이 처음이거든요."

"그게 무슨 말씀이신지……."

"시종이나 시녀에게 신경을 쓰시는 일이 없던 분이셨어요. 그런데 어제 처음으로 제게 영애가 숙면을 취할 수 있도록 방해하지 말아 달라고 말씀하셨죠."

맥켈리드 백작부인이 어제 일을 회상하듯 기묘한 표정을 지었다.

"제가 그때 얼마나 놀랐는지 영애는 모를 거예요. 그런 적은 처음이었으니까."

"……."

"제 생각이지만, 폐하께서 영애를 특별하게 여기고 계시는 듯해요."

정확히 짚었다. 레이놀즈는 유리네트를 좋아하고 있었으니까. 하지만 차마 사실대로 말할 수 없어서 나는 어색한 미소만 지어 보였다.

"제가 멀리서 왔으니 신경 써주신 것이겠지요."

"글쎄요."

맥켈리드 백작부인이 모호하게 대꾸했다.

"그 멀리서 시중드는 사람을 데리고 오실 분도 아닐뿐더러, 그렇다고 한들 이렇게 세심히 신경 쓰실 분도 아니라."

"……."

"전 많이 신기했어요. 그래서 그런 생각이 들었고요."

'그런' 생각이 뭔지는 굳이 묻지 않아도 알 것 같았다. 나는 아무 말도 하지 못했다.

"그리고 원래 영애 또래의 시녀가 입궁한 적이 없거든요."

어제 아니스에게 들었던 이야기였다. 나는 그제야 입을 열었다.

"그 부분은 저도 신기하게 생각했어요. 특별한 이유가 있는 건가요?"

"글쎄요. 그 부분에 대해서는 저도 굳이 여쭌 적이 없어서……."

"유린?"

그때 낯선 목소리가 우리 사이로 파고들었다. 나는 백작부인과 동시에 몸을 돌렸다.

"일어났어?"

환하게 미소 짓는 레이놀즈의 모습이 눈에 들어왔다. 그리고 그 모습은 내가 사토르디에서 질리도록 보았던 것과는 분명 차이가 있었다.

정식으로 황제의 옷을 갖춰 입고 뒤로 여러 명의 시종들을 대동한 모습은 그가 과연 엘스워드의 주인임을 확실히 해주었다. 나는 그가 내뿜는 아우라와 분위기에 압도당한 듯 순간 꼼짝도 하지 못했다가, 옆에서 맥켈리드 백작부인이 인사하는 모습을 보고선 뒤늦게 정신을 차렸다.

"제국의 태양, 황제 폐하를 뵙습니다."

"제국의 태양, 황제 폐하를 뵙습니다."

엉겁결에 앵무새처럼 백작부인의 인사를 그대로 따라 한 뒤에야 나는 다시 레이놀즈에게로 시선을 옮겼다. 오늘 고작 네 시간밖에 자지 않았다는 말이 진짜인듯 확실히 피곤해 보이는 모습이었다. 그가 나와 맥켈리드 백작부인이 있는 쪽으로 걸어와 말을 걸었다.

"언제 일어났어?"

스스럼없이 물어오는 어조이 격의 있다고 보기 어려웠다. 나는 그것을 지적해야 할지 말지 고민하다가, 왠지 그런 말을 꺼낼 상황은 아닌 것 같다는 생각에 얌전히 대답만 했다.

"얼마 되지 않았습니다, 폐하."

그런데 내 대답을 들은 레이놀즈의 표정이 일순 안 좋아졌다. 설마 내가 늦게 일어났다고 그런 건 아니겠지……? 깨우지 말라고 한 건 당신이잖아! 순간적으로 억울한 마음이 들었다.

"내일부터는 일찍 일어나겠습니다."

그래도 속내를 그대로 드러낼 수는 없는 법이다. 나는 그 상황에서 이 말이 제일 적절하다고 생각하고 내뱉었다. 하지만 그는 그런 게 아니라는 듯한 표정이었다.

"딱딱하네."

그리고 나온 뜬금없는 한 마디에 나는 어리둥절해졌다.

"네?"

"딱딱하다고."

그는 이제 한숨까지 쉬더니 내게 말했다.

"사토르디에서는 이러지 않았잖아."

그제야 나는 그가 말하는 것이 내 말투임을 깨닫고 황당해졌다.

"여긴 황궁이니까요."

"뭐가 다르지?"

"그러니까……."

차마 '보는 눈이 많아서요'라고 대답할 수가 없어서 우물쭈물하고 있는데, 레이놀즈가 싱긋 웃으며 내 드레스 소매를 잡았다.

아니, 잠깐. 이거 분명 각서에 위반되는 내용 아닌가요? 스킨십 금지! 그 말을 하려는데, 일순 레이놀즈가 내게 가까이 다가와 귓가에 대고 속삭였다.

"몸을 만진 건 아니잖아."

"……"

"옷을 만졌지."

……헐. 그걸 이렇게 오용할 줄이야. 내가 아무 말도 못 하고 입술만 금붕어처럼 뻐끔거리고 있는데, 그런 나를 보고 레이놀즈가 또 한 번 싱긋 웃었다. 볼 때마다 생각하는 거지만 심장에 참 해로운 미소다. 어쩌면 곤란하거나 난처한 상황을 피해가려고 저 미소를 남발하는 걸지도 모르겠다는 생각이 들었다.

"일단 들어가지."

"네?"

"보는 눈이 많아서 나한테 편하게 못 대하는 거 아니야?"

그 말을 듣는데 순간 소름이 쫙 끼쳐 왔다. 어떻게 알았느냐는 눈으로 그를 쳐다보자, 그는 또다시 싱긋 웃어 보일 뿐이었다.

마치 '네 생각 따위 다 알고 있고, 넌 내 손바닥 위에 있다'라고 말하는 것 같아서 다시 한번 소름이 쫙 끼쳤다.

"이런 기본적인 건 당연히 눈치채지."

"……"

"늘 말하지만 영애가 눈치 없는 거야."

말을 마친 레이놀즈가 내 드레스 소맷자락을 잡고 느긋하게 방 안으로 걸음을 옮겼고 나는 본의 아니게 끌려가는 모양새로 그의 방 안까지 들어갔다. 그리고 그가 나를 자신의 집무실까지 데리고 왔을 때, 나는 무언가 이상함을 느끼고 그에게 물었다.

"왜 시종들이 한 명도 없죠?"

분명 들어올 때는 꽤 많이 들어온 것 같은데, 집무실까지 도착해 보니 어느새 한 명도 뒤따라 오지 않고 있었다. 내가 의문을 표하자 레이놀즈는 태연자약하게 웃었다.

"원래 집무실 안에는 특별한 일이 없으면 아무도 들어오지 못하거든."

"아, 그러시군요."

……가 아니라!

나는 순식간에 황당한 표정이 되었다. 그럼 난 왜……?

"저도 그럼 나가봐야겠네요."

그 말과 함께 레이놀즈에게서 잡힌 소매를 빼려던 찰나였다. 그가 내 소매를 잡은 손에 힘을 주었고, 나는 그런 그를 의아한 눈으로 쳐다보았다.

"왜 그러세요?"

"내가 묻고 싶은 말이야. 기껏 여기까지 따라 들어와 놓고, 왜 또 나가겠다는 건데?"

"원래 집무실 안에는 특별한 일이 없으면 아무도 들어오지 못한다고…… 방금 그러셨잖아요."

"특별한 일 때문에 지금 들어온 거야, 여기."

특별한 일? 나는 곰곰이 생각하다가 물었다.

"아…… 혹시 하고 싶으신 말이 있으신 건지."

내 물음에 레이놀즈가 미간을 좁히며 말했다.

"우린 대화가 필요해, 영애. 아무럼 내가 영애를 여기까지 데리고 왔는데 잘 잤냐, 불편한 곳은 없냐, 물어는 봐야 하지 않겠어?"

아, 그런 거였다. 나는 빠르게 수긍하는 표정으로 답했다.

"제가 생각이 짧았네요. 배려해주셔서 감사합니다."

"그래서, 대답은?"

"전 아주 잘 잤어요. 불편한 점은 없고, 다들 친절해요. 하녀들도 제게 잘 대해주고, 맥켈리드 백작부인께서도 좋으신 분 같아요."

거의 보고서 수준으로 줄줄 읊자, 레이놀즈의 표정이 아까보다 한결 밝아진 듯했다.

나는 그 모습에 뿌듯함을 느끼면서 그에게 물었다.

"근데 왜 저 깨우지 말라고 그러셨어요?"

"응?"

"오늘 엄청 많이 잤다고요, 저. 열두 시간도 넘게 잤어요."

"그야 여독이 있으니까 피곤할 수밖에."

태연한 대답에 나는 조금 황당하다는 목소리로 물었다.

"저와 같이 이동하신 분은 폐하가 아니신가요?"

"무슨 소리야?"

"폐하는 네 시간 주무셨다고 들었어요."

"아아, 난 원래 그렇게 자."

"사토르디에서도 그러셨어요?"

"거긴 요양지였지만 여긴 황궁이잖아."

그가 새삼스러울 것도 없다는 목소리로 덧붙였다.

"전쟁터에서는 편하게 못 자지."

"……."

황궁은 속된 말로 황제의 집이었다. 집이 전쟁터 같으면 이 남자는 어디에서 푹 쉴 수 있는 걸까. 입 안이 썼다. 그런 내 모습을 보고 속내를 눈치채기라도 했는지 그가 밝은 목소리로 말했다.

"하나도 안 피곤해. 정말이야."

"……."

네 시간만 자는데 어떻게 안 피곤할 수가 있을까. 영 거짓말 같아서 의심이 갔다. 그런 내 마음이 표정에 그대로 드러나기라도 한 걸까. 레이놀즈가 쿡 웃으며 물어왔다.

"지금 나 걱정해 주는 건가?"

"걱정하죠, 그럼. 고작 네 시간밖에 안 주무셨다는데."

"……고맙네, 참."

나름 진심 어린 한 마디였는데 그걸 듣는 당사자의 얼굴은 어쩐지 떨떠름하게 보였다. 나는 그냥 낯부끄러워서 그런가보다 싶어서 대수롭지 않게 다른 주제로 넘어갔다.

"아, 그런데 폐하."

"응?"

"제 또래의 시녀들이 중앙궁에 한 명도 없다고 들었어요."

레이놀즈가 고개를 끄덕였다.

"맞아."

"왜 그런 건가요?"

"궁금해?"

"네."

"흐음."

대답 대신 정체를 알 수 없는 소리가 들려왔다. 나는 눈을 동그랗게 뜨고 그의 입속에서 대답이 나오기를 기다렸다.

"괜한 희망을……."

"……."

"주고 싶지 않아서?"

이건 또 무슨 소린지.

내가 영 이해를 못 한다는 걸 알아차렸는지, 그가 살짝 입꼬리를 끌어 올리며 말했다.

"중앙궁에 시녀로 지원하는 영애들의 속셈은 대개 빤하거든."

그게 뭔지는 더 듣지 않아도 알 것 같았다.

'황은을 입고 황후가 되는 것.'

중앙궁의 시녀는 여타 궁전의 시녀들과 비교하면 황제와 마주칠 일이 독보적으로 잦으니까.

"전 그럴 일이 없으니까 곁에 두시는 건가요?"

"사실 영애만큼은 '그럴 일'이 있기를 바랐는데."

그가 '쩝' 소리를 내며 덧붙였다.

"쉽지가 않네."

"……."

"아마 이런 사람은 영애가 처음이고 마지막이겠지?"

"그런 사람이 아무렴 저 하나뿐일 리가요."

나는 고개를 도리도리 저었다.

"순수한 충심으로 폐하를 모시고자 하는 이들도 있을 겁니다."

"영애는 그런 사람들 중 한 명이고?"

"그렇죠."

"아쉽네."

정말 아쉽다는 표정이라 나는 또 황당해졌다.

그러다가 문득 잊고 있던 말 하나가 떠올랐다.

"참, 폐하."

"응?"

"그거 말씀해 주셔야죠."

"그거라니?"

"마차 안에서 말씀해주겠다고 하신 것 있잖아요."

차마 내 입으로는 '절 좋아하는 이유'라고 말할 수가 없어서, 나는 돌려돌려 말했다. 하지만 레이놀즈는 내 말이 무슨 뜻인지 알아 챘을 텐데도 잘 모르겠다는 표정으로 말했다.

"마차 안에서 말해주겠다고 한 거?"

"네."

"그게 뭔데?"

이 사람이 진짜…….

"너무 많아서 기억이 안 나."

그렇게 말하면서 씩 웃어 보이는 그였다.

'……진짜 시도 때도 없이 잘생겼네.'

나는 속으로 한숨을 내쉬며 결국 한 수 접어주기로 했다.

"제가 특별하다고 하신 이유, 알려주기로 하셨잖아요."

"아아, 그거."

살짝 곤란하다는 목소리였다. 뭐야, 이제 와서 말 바꾸는 거? 내가 눈을 가늘게 뜨고 물었다.

"설마 여기까지 와서 안 알려주시겠다거나 하는 건 아니죠?"

"그럴 리가. 그걸 누구보다도 알려주고 싶은 사람이 난데."

"그럼 이제 머뭇거리지 말고 말씀하세요. 전 들을 준비 되었으니까요."

"으음……."

하지만 그런 내 말에도 레이놀즈는 어쩐지 머뭇거리는 기색이었다. 아니, 왜 또!

"무슨 문제가 있나요?"

"문제라기보다는……."

그가 잠시 고민하는 표정을 짓다 말했다.

"극적인 순간에 말하고 싶어서."

"……극적인 순간이요?"

도대체 뭐 때문에 그런 연출적인 분위기까지 필요한 건데?

도무지 이해가 안 갔다. 그러다 짚이는 게 생겼다.

"나름 로맨틱하게 고백하고 싶으시다는 건 알겠어요."

"어?"

"근데 지금 말씀해 주셔도 괜찮아요."

내가 어깨를 으쓱이며 말하자, 레이놀즈가 그런 날 지그시 바라보았다. 솔직하게 말해서, 미남의 저런 시선을 받으면 가슴이 뛰는 건 어쩔 수 없다. 하지만 어디까지나 생리현상에 가까운 거지 그에게 별다른 사심이 있어 그러는 게 아니었다. 상대가 레이놀즈가 아닌 다른 미남이었더래도 아마 내 반응은 똑같았을걸?

"말씀해 주세요. 저 엄청 궁금하거든요."

내 말에 레이놀즈는 잠시 생각하다가, 이내 알겠다는 듯 고개를 끄덕였다.

"좋아. 말해줄게."

나는 기대감 어린 얼굴로 레이놀즈를 쳐다보았다.

"영애가 내게 특별한 이유는."

그리고 마침내 그의 입에서 그 이유가 나오려던 순간이었다.

"내가……."

"폐하."

하지만 바로 그때, 누군가 이 중요한 순간을 방해했다!

나는 집무실 밖에서 들려오는 목소리에 반사적으로 몸을 틀었다. 자연스럽게 레이놀즈의 시선도 집무실 너머로 향했다.

"무슨 일이지?"

"죄송하지만, 급히 보고드릴 일이 있습니다."

아, 김샜다. 이럼 들을 수가 없잖아.

내가 아쉬운 표정을 지으며 이만 가보겠다고 말하려던 찰나였다. 믿을 수 없는 말이 옆에서 들려왔다.

"다음에 오지."

"네?"

"지금 사토르디 영애와 중요한 이야기 중이야."

아니…… 저기요. 누가 봐도 지금 일의 경중을 따지자면 저쪽이 더 중요한데요. 나는 얼빠진 얼굴로 아무 말도 못 하고 레이놀즈를 쳐다보다가, 이내 빠르게 정신 차리고 외쳤다.

"아니에요! 저 나가요! 들어오세요!"

거의 비명처럼 소리친 뒤에, 나는 미쳤냐는 얼굴로 레이놀즈를 쳐다보았다.

"당연히 제가 나가야죠! 이게 뭐라고 보고를 미뤄요?"

"지금 듣고 싶다며. 그리고 굳이 안 나가도 돼."

"그야 아무 일도 없었을 때 이야기죠! 지금 폐하의 시종이 급히 보고할 내용이 있다고 말한 것 못 들으셨어요?"

"좀 미뤄도 어떻게 안 돼."

이 사람이 큰일 날 소리 하네……? 이래서 폭군인 거야?

"전 마음이 불편해서 어떻게 돼요. 다음에 듣겠습니다."

그렇게 말한 뒤에 도망치듯 레이놀즈의 방에서 나가려던 순간, 누군가 내 드레스 소매를 잡았다. 그게 레이놀즈일 거라는 건 뻔한 이야기. 무슨 생각을 하는지 전혀 모를 얼굴이 나를 쳐다보고 있었다.

"……왜 그러세요?"

"저녁에 할게."

그가 조용히 말했다.

"지금 못한 이야기."

"……."

"저녁, 같이 먹자고."

갑작스러운 제안에 나는 아무 대답도 하지 못했다.

그런 나를 가만히 바라보던 레이놀즈가 독촉했다.

"대답."

"아."

나는 그제야 정신을 차리고 고개를 끄덕였다. 얼떨결에 나온 대답이긴 했지만, 거절할 명분도 딱히 없었다. 지금 여기서 나는 일개 사토르디 영애가 아니라 중앙궁의 시녀였으니까.

'사실 어느 쪽이든 거절할 수 있는 명분이 없지.'

이 남자는 황제니까.

❦ ❦ ❦

그는 저녁에 못다한 이야기를 해주겠다고 말했고, 나는 그것을 철석같이 믿고 방 안에서 휴식을 취했다. 맥켈리드 백작부인이 오늘까지는 쉬어도 괜찮다고 말했기 때문에, 어쩌면 마지막 한가로움일지도 모르는 이 여유를 알차게 즐길 생각이었다.

"영애."

가만히 누워 하릴없이 시간을 보내고 있던 중, 아니스가 나를 부르는 소리가 들려왔다. 나는 고개만 까딱여 내 침대로 다가오는 아니스를 쳐다보았다. 그리고 별생각 없이 물었다.

"무슨 일이야?"

"폐하께서 모시고 오라는 명이 있었습니다."

"어?"

"응접실로요."

그러고 보니 벌써 저녁이었다.

"준비를 하셔야 하지 않을까요?"

그 말에 나도 모르게 고개를 숙여 내 상태를 확인했다. 오랜 시간 누워 있던 탓에 옷은 구겨져 있었고, 머리는 산발이었다.

'확실히 이대로 가기에는 좀 그래.'

나는 고개를 끄덕였고, 하녀들의 도움을 받아 옷을 갈아입고 머리카락을 단정히 빗었다. 패티는 머리에 예쁜 핀까지 꽂아 주었다. ……사실 나는 거절했지만, 패티가 되게 서운해하는 눈치라 결국 받아들였다.

"황제 폐하, 사토르디 영애 드십니다."

내 방에서 좀 떨어져 있는 응접실 앞에 다다르자, 시종이 안에 있을 레이놀즈에게 내 방문을 알렸다. 곧이어 안으로 들이라는 짤막한 허락이 떨어졌고, 나는 드레스 자락을 조심스럽게 잡은 다음 천천히 안으로 들어갔다.

'오…….'

속으로 감탄을 자아내는 광경이 눈에 들어왔다. 처음 본 응접실은 사토르디 저택에서의 그것과는 비교할 수 없을 정도로 화려했다. 응접실이 아니라 손님방으로 써도 손색없을 정도랄까.

나는 웅장한 규모의 내부를 흘긋거리며 레이놀즈의 앞까지 걸어가 인사했다.

"제국의 태양, 황제 폐하를 뵙습니다."

"어서 와, 영애."

그가 나긋한 목소리로 나를 반겼다.

"이리와 앉아."

나는 얌전히 그의 말에 따랐다. 식탁 위에는 이미 완성된 요리들이 잔뜩 올라가 있었다. 평소에는 보기도 힘든 진귀한 요리들이 잔뜩이었다.

'황제는 평소에도 이런 것만 먹나?'

솔직히 진짜 부러웠다. 물론 내가 평소에 먹는 것도 충분히 맛있었지만, 지금 식탁 위에 올라간 요리들은 '맛있다'는 범주를 뛰어넘을 정도의 수준이랄까.

"입에 맞을지 모르겠네."

"드시죠. 다 맛있어 보이네요."

그리고 정말 조용히 식사만 진행되었다. 레이놀즈는 아까 끊겼던 이야기를 다시 하려는 노력도 없이 그저 묵묵히 포크만 움직였다. 나도 식사 중에 말하는 걸 좋아하는 편이 아닌 데다 식탁 위의 음식들이 너무 맛있어서, 그 상황에 어색함을 느끼는 대신 식사에만 집중했다.

"오늘 하루 어땠어?"

우리 사이에서 처음 말이 나온 건, 식사가 거의 끝이 날 즈음이었다. 접시들이 다 치워지고 요리사가 디저트를 내올 때 즈음. 참고로 디저트는 달콤한 딸기 수플레 팬케이크였다.

"아, 오늘 하루요……."

나는 잠시 오늘 하루를 되짚어 보다가, 이내 황당한 표정으로 미소 지었다.

"정말 여유로웠어요."

정오에 일어나서 저녁 먹을 지금까지 한 게 없었다. 사토르디에서나 만끽했을 법한 여유였달까.

"하루 종일 침대에만 누워 있었거든요."

"잘했어. 내일부터는 바쁠 테니까. 쉬어주는 게 좋겠지."

"알고 계셨어요?"

내 스케줄이 무슨 대단한 기밀은 아니었지만, 나는 레이놀즈가 그런 사소한 것까지 챙기고 있다는 사실에 놀랄 수밖에 없었다.

"당연히 알고 있어야지. 누가 영애를 여기까지 데려왔는지 벌써 잊었어?"

"그래도 사소한 일이라 관심 안 두실 줄 알았어요."

"영애는 일개 시녀가 아니니까."

그가 나를 의미심장한 눈빛으로 바라보며 물었다.

"알잖아?"

그로 인해 분위기가 갑자기 기묘하게 변했고, 나는 어쩐지 마른 침을 삼켜 넘기는 것마저 조심스러워졌다. 그리고 애써 그 상태에 집중하지 않기 위해 애쓰면서, 말없이 팬케이크를 잘랐다.

그 야릇한 침묵이 지속되던 어느 순간, 레이놀즈가 침묵을 깨고 내게 물어왔다.

"약속해 줄 수 있어?"

"뭘……요?"

"내가 지금 하는 말이 어떻게 들리든."

그가 나를 똑바로 쳐다보며 말했다.

"나 피하지 않겠다고."

"……"

사토르디에서도 비슷한 말을 들었었다. 내가 자기를 피할까 봐 무섭다고 그랬지. 내가 앞으로 듣게 될 말이 무슨 충격적인 말이라도 되는 걸까. 이 남자를 싫어하게 되는 말이라도 되는 걸까.

"안 피할게요."

황궁까지 왔는데 피할 수 있는 방법이, 있을 리 없잖아. 여긴 이제 사토르디도 아니었다.

"그러니까 걱정 말고 말씀하세요."

그 말에 레이놀즈는 나를 빤히 바라보았고, 침묵했다. 말을 고르는 중인 것 같아서 나는 차분히 기다려주었다. 기다림에 지칠 무렵이 되어서야 그는 입을 열었다.

"어떻게 말을 시작해야 할지 모르겠네."

"네?"

"이 순간에 대해 오랫동안 고민해왔거든."

그 말이 안 그래도 긴장한 사람을 더 긴장하게 만들었다.

"어떻게 말해야 내 마음을 제일 잘 전할 수 있을지."

분위기만 보면 이건 거의 고백 직전이었다. 나는 포크를 꽉 쥔 채 레이놀즈를 쳐다보았다. 그리고 그의 입에서 나온 말에, 나는 하마터면 포크를 떨어뜨릴 뻔했다.

"권유린."

쿵.

그, 이름을 듣자마자 심장이 내려앉는 기분이었다.

레이놀즈가 저 이름을…… 어떻게 알고 있지? 나는 믿기지 않는다는 얼굴로 레이놀즈를 쳐다보았다. 거울을 보지는 않았지만 분명 새하얗게 질려 있을 것이다.

"나."

"……"

"기억 안 나?"

알 수 없는 말에 나는 파르르 떨며 레이놀즈를 쳐다보았다. 여기서 그 이름을 듣게 될 줄은 몰랐다. 대한민국에서 불리던 이름을 엘스워드에서, 도대체 어떻게…….

"무슨 말씀이세요?"

나는 덜덜 떨면서 그에게 물었다. 그는 나를 빤히 쳐다보다가 다시 입을 열었다.

"나 기억 안 나?"

"무슨 말씀이신지 모르겠어요."

나는 혼란스러운 얼굴로 고개를 저었다.

"지금 도대체 이게 무슨……."

"날 잘 봐, 유린."

내게 말하는 목소리가 드물게 냉정하고 건조했다.

"정말 모르겠어?"

"……"

나는 파르르 진동하는 눈동자로 레이놀즈를 쳐다보았다. 저 남자는 자신이 누구였는지 기억하라고 내게 말하고 있었다.

'하지만 난 저런 사람을 만난 적이 단 한 번도 없는걸.'

만약 그랬다면 애당초 레이놀즈와 비 오는 날 처음 만났을 때 알아차렸을 것이다.

'……잠깐.'

순간, 내 머릿속으로 말도 안 되는 가설 하나가 떠올랐다.

'네로와 관련된 이야기거든.'

'……아냐.'

말도 안 돼. 그럴 리가. 나는 속으로 끊임없이 부정하며 천천히 고개를 저었다. 하지만 레이놀즈는 내가 답을 찾았다고 생각했는지 미소 지었다. 그 미소에 내 마음이 와르르 무너졌다.

"그럴…… 그럴 리가."

"맞춘 것 같은데."

중저음의 목소리가 내게 속삭였다.

"오랜만이야."

"내 주인님."

자기가 네로라고.

"말······."

챙그랑!

포크가 바닥으로 떨어지며 듣기 싫은 소리를 냈다. 하지만 나는 떨어진 포크를 주워야 한다는 생각도 하지 못하고 그 자리에서 그대로 들었다. 어떻게······ 어떻게 이럴 수가 있지?

"······말도 안 돼."

레이놀즈가 천천히 자리에서 일어나 내게로 뚜벅뚜벅 걸어오기 시작했다. 식탁이 크고 길었기 때문에 그가 내 앞까지 다가오는 데만 시간이 조금 걸렸다. 나는 얼빠진 얼굴로 고개만 가만히 들어 올려 레이놀즈를 쳐다보았다.

'아니, 이제는 네로라고 불러야 하나.'

나는 혼란스러움을 가누지 못하고 파르르 떨었고, 그 사이 내 앞까지 온 레이놀즈가 무릎을 굽혀 떨어진 포크를 직접 주웠다.

-탁

식탁 위로 포크를 내려놓는 소리가 유독 크게 들렸다. 숨소리 하나하나마저 크게 들리는 이 상황에 당연한 일이다. 나는 입술까지 파르르 떨면서 나를 응시하는 남자를 쳐다보았다.

'······어떻게.'

이 남자가 네로일 수 있어.

나는 믿을 수가 없었다. 전부 다 거짓말 같았다. 그런 내 속을 꿰뚫어 보기라도 했는지 레이놀즈가 이런 말을 했다.

"내가 네로라는 증거가 필요해?"

증거를 운운한다는 것 자체가 자신이 있다는 소리다. 즉, 이 남자는 자신이 네로였다고 확신하고 있었다. 나는 입술을 잘근 깨물었다가 그에게 물었다.

"지금 제가…… 꿈을 꾸는 게 아니죠?"

"아니야."

그가 부드럽게 내 뺨을 어루만지며 속삭였다.

"이건 현실이야, 유린."

"……."

"내 주인님."

"이건, 이건 말도 안 돼요……."

"맞아. 말도 안 되지."

그는 순순히 수긍하면서, 날 경악하게 만드는 말을 내뱉었다.

"권유린이 유리네트가 된 것만큼이나 말도 안 돼."

"아……."

"그렇지?"

"알고 있었어요? 도대체 언제부터……."

"사토르디에 온 이튿날에 그랬잖아, 주인님."

그가 부드럽게 웃으며 가만히 흘러내린 내 머리카락을 뒤로 넘겨주었다.

"복숭아에 알레르기 있다고."

"그건……."

"물론 그것만으로는 확실하지 않아서, 사토르디 자작부부에게 직접 물어봤어."

"……."

"따님께서 복숭아에 알레르기가 있느냐고."

"그건……."

"없다고 하더라고. 그래서 확신했지."

그가 느릿하게 입꼬리를 끌어 올렸다.

"유리네트 조셋 엘 사토르디가."

"……."

"사실은 권유린이라고."

"추리가 너무 빈약한 것 아닌가요?"

"주인님."

그가 속삭이듯 나를 불렀다.

"내가 왜 사토르디에 처음 온 날."

"주인님을 뚫어지게 쳐다봤을까?"

"아……."

"왜 그 비 오는 날 하늘을 멍하니 쳐다봤는지, 궁금하지 않아?"

"······처음부터."

내가 파르르 떨리는 목소리로 그에게 물었다.

"처음부터, 눈치챘어요?"

"그럴 리 없다고 생각했는데, 이상하게 끌렸지."

과거를 회상하듯 몽롱한 목소리가 내게 말했다.

"겪어보니까 점점 주인님이었어."

그러니까 나는, 네가 내 주인이라는 걸 알고 있었다고.

"모를 리 없잖아. 일 년을 함께 살았는데."

"······."

"이게 한 달 동안 숨겨왔던 내 대답이야."

"······당신이 진짜 네로라고요?"

입에 담은 질문이 믿기지 않는다. 전부 다 거짓말 같은 느낌이다. 이 상황도, 눈앞에 있는 이 남자도. 나는 혼란스러운 얼굴로 이마를 짚었다. 지금 도대체 뭐가 뭔지······.

"못 믿겠······."

"그렇지만 이미 수긍한 눈동잔데."

그가 입가에 여유로운 미소를 띤 채 물었다.

"아니야?"

"······."

빌어먹게도 그의 말이 맞았다. 나는 지금 받아들이지 못하고 있는 것뿐, 이 남자가 네로라는 사실에는 어느 정도 수긍하고 있었다.

옳다고 인정하는 것과 받아들이는 것은 엄연히 다르다. 머리가 받아들인 일을 가슴은 충분히 납득하지 못할 수 있으니까.

"그러니까, 당신이 진짜 네로······."

나는 웅얼거리다 머리카락을 거칠게 뒤로 쓸어 넘겼다. 처음 이 세계에서 눈을 떴을 때보다도 혼란스러웠다.

"어떻게 그게 가능하죠? 어떻게······."

"그걸 따지려면 왜 유린이 한국이 아니라 여기 있는지부터 알아봐야지."

"······."

"안 그래? 세상에는 우리가 생각하는 것보다 훨씬 더 믿기지 않는 일들이 자주 일어나."

내가 여기 있는 것부터 그렇기는 했다. 나도 모르게 입술을 깨물었다.

"중요한 건, 내가 쓰러지고 혼수상태에 빠진 지난 1년 동안 주인님의 고양이로 살았다는 거야."

······그래서 그랬구나. 주인님이 있다고 말했던 것도, 네로 이야기에 그렇게······ 관심을 보였던 것도.

뒤늦게 부끄러워졌다. 이 남자 앞에서 너무 내 속내를 드러내 보인 것 같아서.

'네로랑 레이놀즈가 동일한 존재라니, 믿을 수 없어.'

내 머릿속에서 두 존재는 완전히 다른 개체였다. 나는 네로를 사랑했지만, 그렇다고 해서 레이놀즈를 '사랑'하지는 않는다. 내가 사랑했던 죽은 고양이 네로와 내가 충심으로 모시는 황제 레이놀즈는 엄연히 다르다. 그걸 확실히 해둬야 했다. 나는 차분하게 입을 열었다.

"그렇다고 해도 달라지는 건 없어요."

"······무슨 뜻이야?"

"제게 네로와 폐하는 동일 존재가 아니라는 뜻이에요."

내 말을 들은 레이놀즈가 표정을 와락 구겼다. 나는 저 얼굴을 알고 있었다. 존재를······ 부정당한 사람이 짓는 표정이었다. 그 모습을 보자 가슴이 아려왔지만, 그렇다고 해도 변하는 건 없다. 레이놀즈를 네로 대하듯 대할 수는 없으니까. 그건 말도 안 되는 일이지.

"폐하는 더 이상 제 고양이가 아니에요. 엘스워드의 황제시죠."

"내가······ 내가 아니었다고 말하는 거야, 지금?"

"폐하께서는 지금 고양이가 아니시니까요."

나는 단호한 목소리로 말을 이었다.

"무슨 연유로 그런 황당한 일이 일어났는지는 몰라요. 저도, 폐하도 모르죠. 하지만 그건 중요하지 않아요. 중요한 건, 폐하께서 1년 동안 제 고양이셨다고 해도 그 상황이 지금 여기서는 아무런 의미도 없다는 거예요."

"······아무 의미도 없다고?"

"그럼 무슨 의미가 있죠?"

나는 그를 빤히 쳐다보며 말했다.

"지금 이 상황, 다른 사람에게 말하면 미쳤다는 소리 들을걸요."

"그건 당연하지."

그가 차가워진 목소리로 말했다.

"그 사람들은 우리가 아니니까."

"우리도 별것 없어요."

나는 고개를 저었다.

"제가 이 사실을 알게 되었다고 해서 폐하를 네로 대하듯 대할 수 있을 것 같나요? 그때처럼?"

"……"

"뭘 기대하셨는지는 모르겠지만, 전 폐하의 기대를 충족시켜 드릴 수 없어요. 폐하는 제게…… 폐하일 뿐이에요. 네로가 아니라."

"그럼 네로는?"

그가 어느새 붉어지기 시작한 눈동자로 나를 쳐다보았고, 그 모습을 보자 나는 금방이라도 눈물이 고일 것만 같은 기분이었다. 전혀 그럴 이유가 없는데, 이상하게 이 남자에게 미안하다는 감정이 들었다.

"네로는 어디 있어?"

"……네로는 죽었어요."

"안 죽었어."

그가 목소리에 힘을 주며 말했다.

"나도, 주인님도 안 죽었어."

"……."

"여기 살아 있잖아. 이 엘스워드에……."

애타는 목소리로, 그가 주먹 쥔 손을 가슴 위에 쳤다. 나는 그 모습을 보자 가슴이 더 미어지는 기분이었다. 하지만 약해지지 말자고 생각하면서 입술을 꾹 깨물었다.

아닌 건 아닌 거니까. 이 남자가 설령 내 눈앞에서 그때의 네로로 변신한다고 해도 변하는 건 없다.

"전 폐하를 네로와 결부할 수 없어요. 그러기엔 제 눈앞에 보이는 폐하의 모습에서…… 전혀 네로를 떠올릴 수 없거든요."

"그때처럼 행동할까?"

그가 의미심장한 목소리로 물으며 내게 몸을 숙였다. 무거운 체취가 훅 느껴지자, 내 얼굴은 당황으로 빠르게 물들었다. 그 검은 고양이가 나를 물어뜯을 듯 바라보고 있었다. 나도 모르게 마른 침이 넘어갔다.

"무슨……."

말을 마치기도 전에 목 쪽에서 간지러움이 느껴졌다. 나도 모르게 작게 소리를 내며 몸을 부르르 떨었다. 그제야 나는 레이놀즈가 내 목덜미를 핥았음을 깨닫고 경악했다.

"폐……."

"이래도."

탁한 음성이 내 귓가에 맴돌았다.

"내가 네로처럼 안 보여?"

"이러지 마세요……."

앓는 목소리로 겨우 그를 말렸지만 그것이 그의 행동을 제지시켜주지는 못했다. 나는 목을 움찔 움찔 떨면서 손가락이 파르르 진동하는 것을 보았다. 그 손가락으로 그의 옷깃을 꽉 쥐자, 그제야 그가 나를 쳐다보았다. 복잡한 감정들이 마구 뒤섞인 눈빛에 나는 흠칫할 수밖에 없었다.

"……이래도 내가 아니야?"

적어도 네로가 나를 핥을 때는 이런 느낌이 아니었다. 나는 천천히 고개를 끄덕였고, 레이놀즈는 상처 받은 눈빛을 했다. 그 눈빛을 보는 게 괴로웠지만 어쩔 수 없었다. 레이놀즈와 네로가 다르다는 건 내게 부정할 수 없는 사실이니까. 그리고 그 사실을 날조할 마음은 없었다. 레이놀즈가 내게서 입술을 떼어 냈고, 나는 그를 바라보며 읊조리는 듯한 목소리로 말했다.

"폐하가 네로라는 사실이 싫은 건 아니에요."

"그럼 뭐가 문제야?"

"그렇다고 폐하를 네로처럼 대할 수는 없어요."

"어째서?"

"둘은 다르니까요."

마지막 말에 그의 표정이 무너지는 것이 보였다. 그걸 보는 나라고 기분이 좋을 리가 있을까. 그래도 말을 바꿀 수는 없었다.

"난 유린이 좋아할 줄 알았어."

그가 상처 받은 목소리로 말했고, 나는 힘겹게 마른침을 삼켰다.

"이 순간을 얼마나 기다려왔는데⋯⋯."

만약 처음부터 내가 권유린이라는 걸 알고 있었다면 그의 마음이 이해가 갔다. 얼마나 말하고 싶었을까. 자신이 네로라고. 자신이 내가 그토록 보고 싶어 했던 고양이 네로라고. 그래서 지금 이렇게밖에 반응하지 못하는 게 미안했지만, 그래도 어쩔 수 없었다.

"⋯⋯죄송해요, 폐하."

지금 내 눈 앞에 있는 사람은, 네로가 아니라 레이놀즈니까.

5

Nero

✤

나는 레이놀즈를 내버려둔 채 도망치듯 응접실에서 빠져 나왔
다. 그리고 후들후들 떨리는 다리로 간신히 내 방 앞까지 도착했다.

방 안에 들어오자마자 긴장감이 다 풀려서, 나는 그 자리에 털썩
주저앉았다.

"영애!"

그런 나를 본 패티가 깜짝 놀라 얼른 부축해 왔다.

"괜찮으세요?"

"······응. 괜찮아."

사실 빈말이었다. 별로 괜찮지 않았다. 나는 내 놀란 마음을 그곳
에서 전부 다 드러내 보이지 못했으니까. 네로가 실은 고양이로 변
한 레이놀즈라는 사실을 알았을 때 내가 얼마나 놀랐는지 레이놀
즈조차 다 알지 못할 것이었다.

나는 착잡한 얼굴을 손바닥으로 가렸다. 머릿속이 복잡했다.

"……나 혼자 있고 싶어."

하녀들은 모두 내 말뜻을 알아들었다. 그들은 내가 누울 수 있도록 잘 정리된 침대까지 데려다 준 다음 모두 침실에서 나갔다. 그래서 나는 결국 혼자 남게 되었고, 나는 그제야 손바닥에서 얼굴을 떼어냈다. 눈물이 손바닥에 조금 묻어 있었고, 그 모습을 보자 더 우울해졌다.

"어떻게 이럴 수가 있지."

집사가 죽으면 먼저 간 고양이가 마중을 나온다는 동화 같은 이야기를 들은 적이 있다. 결국 그 동화는 맞아 떨어진 셈이다. 예상했던 것과는 아주 다른 형태이긴 했지만.

"이제 레이놀즈 얼굴을 어떻게 본담……."

왜 자꾸 극적인 순간에 이야기를 꺼내려는 건가 싶었는데 일을 겪고 나니 이해가 갔다.

'내가 기뻐할 줄 알았던 거야.'

생각만큼 기뻐하는 모습을 보여주지 못해서 죄책감이 들었다. 내가 네로를 그리워했던 만큼 네로 역시 나를 그리워했을 테니까. 그 생각이 마음속에 잔존해 나를 괴롭혔다. 괴로움에 한참 뒤척이다가, 나는 결국 한숨 섞인 한마디를 내뱉고 말았다.

"……모르겠다."

나는 눈썹 사이에 손목을 얹으며 한숨을 푹 내쉬었다. 머릿속에 안개가 낀 것처럼 어지러웠다.

'일단 자자.'

계속 생각해 봐야 앞으로의 해결책 따위 나오지 않을 공산이 컸다. 그런 걸 내기에 지금 나는 너무 혼란스러운 상태였으니까.

자고 내일 다시 생각해 보는 거야. 운이 좋다면 자고 일어났을 때 해결책이 뿅 하고 튀어 나올지도 모른다. 지난번 산장에서 레이놀즈의 고백을 받았을 때처럼. 나는 일말의 기대를 가지고 억지로 눈을 감았다.

❦ ❦ ❦

……부질없는 기대였다.

"영애, 일어나셔야 할 시간입니다."

아니스의 목소리에 나는 곧바로 눈을 떴다. 그렇다. 난 간밤에 한숨도 자지 못했다. 그렇다고 해서 마땅한 해답을 낸 것도 아니었다. 말똥말똥 뜬 눈에서 피곤함이 느껴졌다. 제기랄.

"괜찮으세요?"

그런 내 상태를 알아차렸는지 리셸이 걱정스럽게 물어왔다. 솔직히 말하자면 별로 괜찮지 않았지만, 나는 억지로 고개를 끄덕였다. 하지만 아무도 믿지 않는 눈치였다.

"어제 폐하와 무슨 일이 있으셨어요?"

리셀이 세숫물을 가지러 간 사이 내 곁에 와 앉은 에이미가 물어 왔다. 나는 입술만 달싹거릴 뿐 대답하지 못했다. 숨기고 싶어서 그런 게 아니라 정말로 말할 수가 없었다.

'어떻게 말할 수 있겠어.'

내가 실은 유리네트 조셋 엘 사토르디가 아니라 다른 세계에서 살던 권유린인데, 거기서 고양이 한 마리를 키웠고, 그 고양이가 사실은 레이놀즈였다.

'……는 걸 누가 믿어줄까.'

누구라도 못 믿을 거다. 나부터도 그런 이야기를 듣는다면 미쳤 다고 생각할 테니 딱히 탓하고 싶은 문제도 아니었다.

그때 망설이는 내 모습을 본 에이미가 눈치 있게 입을 열었다.

"몸이 좋지 않으시면 맥켈리드 백작부인께 아뢸까요?"

그것도 좋은 생각이었다. 도무지 지금은 뭘 할 기운이 나지 않 으니까. 머릿속도 너무 복잡했고. 나는 고개를 끄덕였고, 내 대답에 에이미는 본인이 더 편안해진 표정을 지었다. 그 모습을 보자 가슴 이 뭉클해졌다.

'많이 걱정했나 보네.'

하긴. 어제 들어오자마자 주저앉았으니까……. 나라도 걱정했을 거야. 그럼에도 캐묻는 대신 기다려줘서 고마웠다.

세안을 마치고 옷을 갈아입은 뒤에야 에이미는 다시 내 방으로 돌아왔다. 그녀가 입가에 희미한 미소를 띤 채 내게 보고했다.

"맥켈리드 백작부인께 말씀드렸더니 많이 걱정하셨어요. 오늘은 아무것도 하지 말고 푹 쉬시라고 하시던걸요?"

"그래?"

"네. 그리고 맥켈리드 백작부인이 궁의를 보내드린다고 하셨는데, 그 정도는 아닌 것 같아서 괜찮다고 말씀드렸어요. 그런데 돌아오니 후회가 되네요. 그냥 보내주신다고 할 때 받아들일걸."

"아냐, 에이미. 고마워. 궁의를 부를 정도는 아니야."

"뭘요. 이 정도 가지고."

"그런데 정말 궁의를 안 불러도 괜찮으시겠어요?"

옆에 있던 패티가 걱정스럽게 물어왔다.

"안색이 안 좋아 보이세요. 눈 밑도 검으시고……."

"어제 잠을 좀 못 잤거든. 그래서 그런 걸 거야."

"저런."

"캐모마일 티라도 가져다드릴까요? 심신 안정과 불면증에 좋다고 들었어요."

리셸이 냉큼 물어왔고, 나는 웃으며 고개를 끄덕였다.

"나야 고맙지."

사실 지금 심정으로는 어떻게 해서든 자고 싶었다. 난생처음 겪어보는 불면증이 생각보다 괴롭기도 했지만, 잠을 못 자서 현실로부터 잠시나마 도피할 수 없다는 것도 짜증스러워서.

'좀 자고 일어나면 해결책이 떠오를 것 같기도 한데 말이지.'

리셸이 빠르게 방 밖으로 나갔고, 나는 살짝 지끈거리는 머리를 짚었다. 그 모습을 본 아니스가 걱정스럽게 물어왔다.

"정말 궁의를 부르지 않으셔도 괜찮으시겠어요, 영애?"

벌써 몇 번째 질문인지. 나는 웃으며 고개를 끄덕였다.

"괜찮아."

"고민이 있으신 것 같아요."

아니스가 조심스럽게 내게 말해왔고, 나는 그녀를 빤히 쳐다보았다.

"제가 조금이라도 도움이 될 수 있다면 좋을 텐데요."

"으음……."

아니스의 말에 옆에 있던 에이미와 패티도 나를 빤히 바라보았다.

세 사람의 시선을 받으면서 나는 조금 당황스러워졌지만, 그래도 다 나를 위하는 마음에 이러는 것이라고 생각하니 기분은 썩 나쁘지 않았다.

'물어보기라도 할까.'

여러 사람의 생각이 모이면 꽤 괜찮은 결론이 나올지도 모른다. 나는 머뭇거리다가 천천히 입을 열었다.

"있잖아, 실은 내가……."

"영애."

그때, 캐모마일 티를 가지러 나갔던 리셸이 내 이름을 부르며 돌아왔다.

"차를 가져왔어요. 이걸 드시면 한결 편안해지실 거예요."

"아, 고마워, 리셸."

나는 작은 미소와 함께 모락모락 김이 피어오르는 찻잔을 건네받았다. 센스 있게 버터 쿠키 몇 조각도 함께 놓여 있었다. 차 한 모금을 홀짝이고 있는데, 옆에서 패티가 말해왔다.

"리셸 언니, 마침 잘 왔어."

그 말에 리셸이 어리둥절한 목소리로 물었다.

"무슨 일이야?"

"마침 영애께서 우리에게 고민 상담을 하시려던 찰나였거든."

'고민 상담'이라는 말에 나는 살짝 부끄러워졌다.

그리고 패티의 말을 들은 리셸은 눈을 빛냈다.

"오오, 정말이세요, 영애?"

"음…… 고민까지는 아니고, 물어보고 싶은 게 있어. 도와줄래?"

"물론이죠!"

리셸이 신난 목소리로 나를 채근했다.

"어서 말씀해 보세요."

"리셸, 영애께 무례하게……."

아니스가 당황한 목소리로 리셸을 말렸지만, 나는 낮게 웃으며 그녀에게 말했다.

"괜찮아. 어차피 지금 말하려고 했으니까. 음……."

나는 잠깐 말을 골랐다가 입을 열었다.

"그러니까, 내가 어렸을 때 키웠던 고양이가 한 마리 있어."

"고양이요?"

내 말에 에이미가 금시초문이라는 얼굴을 했다. 나는 빠르게 덧붙였다.

"어디까지나 가정이야, 에이미."

"아아……."

"어쨌든 그 고양이를 1년 정도 키웠는데, 어느 날 갑자기 죽었어."

"갑자기요?"

"응. 갑자기……."

그 말을 하는데 순간 울컥해져서, 나는 잠깐 숨을 멈추었다. 어제까지만 해도 멀쩡했던 고양이가 갑자기 세상을 떠났다. 그때 느낀 비통함과 상실감은 다시는 겪고 싶지 않을 만큼 참혹한 것이었다.

"갑자기…… 떠났어. 내 곁을."

"……."

"그리고 머지않아 내 앞에 다시 나타났는데……."

"죽은 고양이가 다시 나타났다고요……?"

패티가 이해할 수 없다는 목소리로 내 말을 끊자, 아니스가 가늘게 눈을 뜨며 패티에게 눈치를 주었다. 패티는 재빨리 입을 다물었고, 나는 머쓱하게 미소 지으며 고개를 끄덕였다.

"어쩌다 보니 그렇게 됐어."

"다시 살아난 거예요?"

"음……."

그 질문에, 나는 잠시 고민했다. 네로는 죽은 것이었을까. 레이놀즈 본인은 그 말을 완강히 부정했었다. 마치 자신은 단 한 번도 이 세상에 존재하지 않았던 적 없다고 말하려는 것처럼.

"처음부터 죽은 게 아니었어."

그래서 한참 말을 고르던 나의 결론은 이것이었다.

"그냥 잠깐 내 곁을 떠나 있었던 거야."

"으음……."

내 말을 들은 패티는 영 이해가 가지 않는다는 모습이었다. 그리고 나머지 사람들도 그렇게 보였다. 그들의 반응이 이해 가지 않는 건 아니었다. 나라도 이와 비슷한 반응이었을 테니까.

어쨌든 나는 개의치 않고 계속 말을 이었다.

"그런데 어느 날 갑자기, 다시 내 앞에 나타난 거지."

"고양이가 말인가요?"

"응."

나는 고개를 끄덕인 다음, 가장 중요한 말을 시작했다.

"그런데 문제가 있어."

"무슨 문제요?"

"그 고양이의 모습이, 내가 기억하고 있던 것과는 완전히 다른 거야."

"달라요?"

"내가 알고 있던 고양이는 아주 작고 귀여운…… 검은 고양이었어. 그런데 다시 내 앞에 나타나서 고양이라고 주장하는 건, 내가 알고 있던 검은 고양이가 아니라 흑표범이었다는 거지."

"그럼 검은 고양이가 흑표범으로 변한 건가요?"

뭐, 그렇게도 볼 수 있을 것이다. 나는 고개를 끄덕였다.

"그래서 난 혼란스러워. 흑표범은 자기가 검은 고양이였다고 말하는데, 난 그 둘을 동일시할 수가 없거든."

"근데 그게…… 영애의 고민이라고요?"

패티는 영 이해할 수 없다는 표정을 지었고, 옆에 있던 리셸이 이번에는 패티의 옆구리를 쿡 찔렀다. 나는 낮게 웃으며 고개를 끄덕였다.

"많이 각색한 거야. 대충 이런 내용이고."

하지만 '각색'이라는 설명을 들었음에도 다들 딱히 수긍 가는 표정은 아니었다. 그리고 나는 그것마저 이해했다. 계속 말하지만 나라도 그랬을 테니까.

"그래서…… 그 흑표범을 어떻게 대해야 할지 잘 모르겠어."

"정확히 문제가 되는 게 뭔가요?"

리셸이 고개를 갸웃거리며 내게 물었다.

"영애께서 그 흑표범을 예전처럼 대하실 수 없다는 건가요?"

"내가 알고 있던 고양이와 지금 내 눈앞에 있는 흑표범의 차이가 너무 큰 거지."

"아아……."

처음으로 리셸이 수긍하는 표정으로 고개를 끄덕였다. 그러다
에이미가 내게 물었다.

"아가씨, 그냥 둘이 같다고 생각하면 안 되는 건가요?"

"그게 잘 안 돼. 왜냐하면……."

나는 살짝 인상을 썼다가 대답했다.

"일단 겉으로 보이는 모습이 너무 다르고, 두 번째로 나한테 하
는 행동이 같지 않게 느껴져."

"그게 무슨 뜻인가요?"

"이를테면 이런 거야. 손등을 핥는 행동이 예전에는 귀여운 고양
이의 애교 정도로 느껴졌다면, 지금 흑표범이 나한테 그러는 건 목
숨에 위협을 느끼는 수준인 거지."

"그럼 결국 영애를 고민하게 만드는 건 고양이와 흑표범의 외관
차이인 거네요."

아니스의 정리에, 나는 순간 말을 잇지 못했다가 고개를 끄덕
였다.

"그런 것 같아."

"흑표범이 떠났다 돌아온 고양이라는 걸 알았을 때 기분이 어떠
셨나요?"

"……기뻤지."

나는 솔직하게 대답했다.

"죽은 줄 알고 있었으니까."

그런데 사실은 살아 있었다고 하니까. 단 한 번도 생이 끊겼던 적이 없었다고 하니까, 내가 어떻게 안 기쁠 수가 있겠어.

"그래도 당황스러운 건 어쩔 수 없어. 내가 알고 있던 모습과는 너무 달랐으니까……."

"아가씨의 마음을 이해해요."

에이미가 옆에서 가만히 내 손을 잡아 왔다.

"어쨌든 모습이 달라지면 이전에 가지고 있던 기억에도 혼란이 올 테니까요."

"맞아요. 저라도 그랬을 것 같아요!"

"하지만 영애, 결국 중요한 건 겉껍데기보다는 속알맹이라고 생각해요."

아니스가 부드러운 목소리로 내게 말했다.

"영애께서는 고양이의 귀여운 외모만을 사랑하셨던 건가요? 아니면 고양이의 존재 자체를 사랑하셨던 건가요?"

"그야 당연히……."

순간 말문이 턱 막혔다. 가장 중요한 걸 잊고 있던 느낌이다.

파르르 속눈썹을 떨며 아니스를 바라보자, 그녀가 빙긋 웃으며 내게 물었다.

"도움이 좀 되었을까요, 영애?"

"……응."

나는 코끝이 찡해지는 것을 느끼며 고개를 끄덕였다.

"그런 것 같아."

성인 남자의 모습을 하고 있든, 작은 고양이의 모습을 하고 있든 그건 중요한 게 아니었는데. 아무도 없는, 외로이 홀로 있던 시간들을 채워준 게 너였다는 사실에는 변함이 없는데.

"고마워, 모두들."

당신이 내 인생을 구원해주었다는 건, 부정할 수가 없으니까.

"천만에요, 영애. 마음이 한결 편해지신 듯해서 다행이에요."

"다 너희들 덕분이야."

나는 환해진 얼굴로 자리에서 벌떡 일어났다. 그 모습을 본 리셸이 당황한 목소리로 물었다.

"어디 가시려고요?"

"가볼 데가 있어."

"하지만 지금 너무 피곤해 보이시는걸요."

아니스가 걱정스럽게 나를 말렸다.

"좀 눈을 붙이신 다음 하시는 건 어떠세요? 어차피 오늘은 자유이신걸요."

사실 지금 좀 많이 피곤한 상태이긴 했다. 어제 거의 뜬눈으로 밤을 지새웠기 때문이었다.

'눈 밑이 괜히 검어진 게 아닐 테지…….'

내가 머뭇거리는 기색을 보이자 옆에 있던 에이미도 거들었다.

"그게 좋겠어요. 어차피 아직 아침인걸요. 한숨 푹 주무시고 피로를 해소하신 뒤에 하셔도 나쁘지 않을 거예요."

"그럴까?"

"그럼요. 일단 좀 주무세요, 아가씨."

그 말과 함께 에이미가 나를 침대 위에 눕혔고, 나는 얼떨결에 눕게 되었다.

패티가 캐모마일 티를 침대 맡에서 치웠고, 아니스는 커튼을 전부 닫았다. 리셸이 꼼꼼한 손끝으로 내게 이불을 덮어 펴주더니, 나긋한 목소리로 속삭였다.

"자고 일어나시면 지금보다 더 상쾌한 기분이실 거예요."

부디 그러기를 바랐다. 나는 미소 지으며 천천히 눈을 감았다.

.

.

.

다시 눈을 떴을 때, 나는 주변이 어두운 것을 확인하고 당황한 표정을 지었다.

'뭐야, 왜 이렇게 깜깜해.'

그러다 아까 아니스가 커튼을 다 닫았다는 사실을 상기하고선 깜빡했다는 표정을 지었다. 하지만 잠에서 깨어난 이상 지금 상태는 너무 어두워서, 나는 길게 하품을 하고 입을 열었다.

"에이미."

짧게 목소리를 내자, 에이미가 빠르게 안으로 들어왔다. 그녀는 조금 놀란 듯하면서도 밝아진 표정으로 외쳤다.

"드디어 일어나셨군요!"

"어?"

'드디어'라니? 앞에 붙은 부사가 당황스러워서, 나는 빠르게 물었다.

"그게 무슨 소리야? 지금 몇 신데?"

"아주 오랫동안 주무셨어요. 벌써 저녁 시간이 다 지나갔답니다."

"뭐어?"

나는 믿을 수 없다는 목소리로 확인했다.

"그러니까…… 지금이 아침도, 점심도 아니고 저녁이라고?"

"네. 시장하실 텐데 저녁을 준비해 오라고 할게요."

"지금이 정확히 몇 시인데?"

"9시에요."

맙소사, 너무 늦었다. 난 내가 12시간 이상을 잘 줄은 꿈에도 몰라 완전히 어벙해진 표정을 지었다. 그런 내 모습을 본 에이미가 머쓱해 하지 말라는 듯 말했다.

"어제 잠을 많이 못 주무셨잖아요. 마음도 심란하셨고."

"그래도 이렇게까지 길게 자다니. 깨우지 그랬어."

"어떻게 그럴 수 있겠어요. 어차피 바깥에다가도 편찮으시다고 말해 뒀으니 괜찮아요. 신경 쓰지 마세요. 뭐 어떻다구."

맥켈리드 백작부인이 날 잠만보로 봐도 할 말이 없었다. 어떻게 잠을 12시간이나 잘 수가 있지? 나는 '끙' 소리를 내며 에이미에게 말했다.

"일단 불을 좀 더 밝혀줘. 그리고 물도 가져다줄래? 식사는 방금 일어나서 생각이 없네. 시간이 너무 늦기도 했고."

"하지만 배고프실 텐데…… 알겠어요."

잠시 후, 방 안으로 촛불을 든 리셸과 물을 든 에이미가 연이어 들어왔다. 추가된 촛불로 방 안은 훨씬 밝아졌다. 나는 미지근한 온도의 물 한 잔을 전부 비운 다음 에이미에게 물었다.

"내가 잠들어 있는 동안 무슨 특별한 일 없었어?"

"특별한 일이라뇨?"

"그러니까……"

나는 머뭇거리다 돌려 돌려 표현했다.

"누가 날 찾아왔다거나."

"……"

"아니면 날 찾았다거나?"

"아뇨. 없었어요."

에이미가 고개를 저은 다음 리셸에게 물었다.

"있었어, 리셸?"

"없었던 거 같아요, 영애."

"아……."

나는 살짝 서운해진 표정으로 중얼거렸다.

"그렇구나."

레이놀즈는 황제니까. 바쁜 사람이다. 고작 시녀로 입궁한 영애 하나에게 신경 쓸 만큼 한가롭지는 않을 테지. 설령 그가 내게 좋아한다고 고백했다 해도 말이다.

'그리고 무엇보다 어제 끝이 좋지 않았으니까.'

거의 도망치듯 그 자리를 빠져나온 게 기억난다. 멀어져가는 내 뒷모습을 보면서 레이놀즈는 어떤 기분이었을까. 굳이 역지사지하지 않더라도 기분은 가늠이 되었다.

'더구나 나는 네로의 주인이었는데.'

그 애가 내 세상의 전부였듯, 그 애의 세계 역시 나만이 전부였을 텐데.

'만나서 이야기를 해야 해.'

잠들기 전 느꼈던 감정은 잠든 후에 더 뚜렷해지고 풍성해졌다. 이걸 잊기 전에 꼭 전해주고 싶었다. 나는 잠긴 목소리로 에이미와 리셸에게 말했다.

"바깥에 나갈 수 있도록 준비해줘."

❧ ❧ ❧

깨끗하게 세수를 하고, 부스스한 머리를 빗고, 단정한 새 드레스로 갈아입은 나는 레이놀즈의 방으로 걸음을 옮겼다. 어제 그 일이 있고 첫 방문이었다.

"안녕하십니까, 레이디 유리네트."

애슐리 경이었다.

"오랜만에 뵙는 것 같아요, 애슐리 경."

나는 머쓱하게 웃으며 그에게 인사했다.

"실제로는 만 하루도 되지 않아 다시 뵙는 것이지만요."

"몸 상태가 좋지 않으시다 들었는데, 괜찮으십니까?"

"아, 네."

나는 조금 부끄러워하는 목소리로 대답했다.

"실은 아까 전에 일어났어요. 무려 12시간을 넘게 잤답니다."

"이런. 몸이 어지간히 안 좋으셨나 보군요."

내 말에 잠만보라고 놀리는 대신, 애슐리 경은 따스한 걱정의 말을 건넸다. 그 신사적인 태도에 속으로 감탄하면서, 나는 그에게 가장 묻고 싶었던 것부터 물었다.

"폐하께서는 어디 계신가요?"

"집무실에 계십니다. 안내해 드릴까요?"

"아, 어딘지는 아는데……."

나는 미뭇거리다 조금 떨어진 곳에 위치한 방을 손가락으로 가리켰다.

"저기, 맞죠?"

"네. 기억하고 계시군요."

애슐리 경이 장하다는 듯 씩 웃었고, 나는 조심스럽게 물었다.

"폐하께서는 괜찮으세요?"

"네?"

그는 내 질문을 이해하지 못한 듯 의아한 목소리로 되물었다.

"그게 무슨……. 혹시 어제 두 분, 무슨 일이 있으셨습니까?"

"아뇨. 그런 건 아닌데……."

나는 머뭇거리다가 결국 사실대로 말했다.

"음…… 실은 좀 그럴 만한 일이 있었어요."

"그랬군요."

상당히 뭉뚱그려 표현한 말이었는데도 애슐리 경은 찰떡같이 알아들은 반응을 보였다. 그게 픽 신기하다고 느끼다가, 실은 날 배려해주기 위해 대충 알아들은 척한 건 아닐까 하는 생각까지 들었다.

"어쨌든 먼저 와주셔서 감사합니다, 레이디 유리네트."

애슐리 경이 빙긋 웃으며 내게 말했다.

"아마 폐하께서도 기다리셨을 거예요. 영애를 보신다면 기뻐하실 겁니다."

"……그럴까요?"

나는 이미 그 사람에게 상처를 줘 버린 것 같은데.

차마 입 밖으로 내지 못한 말을 마음속으로만 웅얼거리는데, 애슐리 경이 여부가 있겠냐는 듯 고개를 끄덕였다.

"물론이죠, 영애. 어서 가보세요."

나는 희미한 미소와 함께 고개를 끄덕이고는 천천히 레이놀즈의 집무실을 향해 발걸음을 옮겼다. 하지만 바로 앞까지 가놓고도 나는 함부로 문을 두드리지 못했다. 나도 모르게 주저하는 마음이 생겨 버려서.

'긴장하지 마.'

나는 속으로 중얼거리면서 깊게 심호흡했다.

'네로를 만나는 거야.'

그렇게 생각하자 한결 마음이 편해졌다. 나는 입술을 달싹이며 천천히 주먹 쥔 손을 올렸다. 이윽고 작은 노크 소리가 들렸다.

"누구지?"

안에서 차가운 목소리가 들려왔고, 나는 흠칫 놀랐다. 나랑 있을 때는 한 번도 들려준 적 없는 어투라, 순간 적응이 되지 않았던 탓이다. 하지만 곧 차분해진 얼굴로 입을 열었다.

"접니다, 폐하."

신원을 밝힌 뒤에, 나는 곧바로 덧붙였다.

"들어가도 될까요?"

대답이 들려오기도 전에 문이 활짝 열렸고, 예상치 못한 상황에 내 눈은 당황해서 커지고 밀었다. 나는 어벙해진 눈으로 문 앞에서 나를 바라보는 레이놀즈를 쳐다보았다.

예전에도 이런 상황이 한 번 있었다. 말콤 호로웨이의 죽음으로 우리 사이가 어색해지던 즈음, 내가 먼저 그를 찾아갔을 때도 그는 말없이 문을 벌컥 열어 나를 놀래켰었지.

"아……."

나는 당황한 소리를 흘리며 레이놀즈를 쳐다보았다. 속을 알 수 없는 얼굴이 어쩐지 초췌해 보였다.

어젯밤 잠을 못 잤나, 아니면 오늘 일을 너무 많이 했나. 그런 생각을 하고 있는데 그가 나를 빤히 바라보는 시선이 느껴졌다. 그 시선에서 느껴지는 감정이 너무 애처로워서, 나도 모르게 움찔했다. 나는 입술을 조심스럽게 뗀 다음 물었다.

"들어가도…… 될까요?"

"……."

그는 여전히 말이 없었고, 날 빤히 쳐다보기만 했다. 그런 그의 눈빛이 부담스러운 한편 묘한 기분이 들었다.

그가 느릿하게 몸을 비켜주었고, 나는 머뭇거리다 천천히 방 안으로 들어갔다. 잠시 후 문이 쿵 닫히는 소리가 들렸고, 이제는 완전히 둘만 남게 되었다. 그를 등지고 선 채, 나는 어떤 말로 먼저 시작해야 할지 고민했다. 그러던 어느 순간이었다.

"또, 등 보이는 거야?"

그 목소리에 나는 멈칫하고 천천히 뒤를 돌았다. 살짝 촉촉해진 눈동자가 나를 응시하고 있었다. 그 모습을 보자 눈가가 파르르 떨려왔다.

"하고 싶은 말이 있어서 왔어요."

나는 천천히 그를 향해 걸어갔다. 그는 놀라거나 당황하는 기색 없이, 어쩐지 더 촉촉해지는 것 같은 눈으로 나를 지그시 쳐다보기만 할 뿐이었다. 나는 마른 침을 삼킨 다음 다시 입을 열었다.

"어제 저 때문에 상처받으셨을 거 이해해요. 그렇지만 저는……."

그때, 나는 말을 잇지 못하고 나직한 소리를 흘렸다. 레이놀즈가 갑자기 나를 덥석 안아왔던 탓이다.

이 또한 지난번과 같은 패턴이었다. 그리고 지난번과 동일하게, 나는 이번에도 잔뜩 놀라 눈이 커졌다.

"아……."

수십 번 동일한 상황을 겪어도 놀라지 않는 건 불가능할 거라고 생각하면서, 나는 훅 끼쳐오는 그의 무거운 향취를 맡으며 그의 품에 안겼다. 그때와는 묘하게 달라진 분위기가 내 눈가를 따끔하게 자극했다. 이상하게, 눈물이 나올 것 같았다.

"상처받았어."

"……."

"아주 많이."

"……미안해요."

나는 힘겹게 입을 열었다.

"그래서 사과하고 싶었어요."

"……날 원하지 않는 줄 알았어."

그가 무겁고 침울한 목소리로 입을 열었다.

"처음 사토르디에서 내 이야기를 입에 담았을 때, 날 잊지 않은 것 같아서, 나만 기억하고 보고 싶어 하는 게 아닌 것 같아서 얼마나 기뻤는데……."

"……."

"나락에 떨어진 기분이었어."

"그런 게 아니라……."

나는 입술을 한 번 꾹 깨물었다가 입을 열었다.

"혼란스러웠던 것뿐이에요. 내 기억 속의 네로는, 지금의 폐하와 너무나도 다르니까……."

"……."

"사실 지금 이 순간에도 믿기지 않아요. 폐하가 정말…… 네로였다니."

고양이와 흑표범의 비유를 들긴 했지만, 나로서는 사실 더 커다란 충격이었다. 애당초 이건 종부터가 다르니까. 그러니 내게 하는 행동까지 그때와는 전부 다른 의미로 전해질 수밖에 없다.

나는 그의 품 안에서 눈을 꼭 감으며, 속삭이는 목소리로 말했다.

"그렇지만 중요한 건 네로가 어떤 모습이냐가 아니죠. 중요한 건 속알맹이니까."

천천히 고개를 들어 올리자, 익숙하면서도 애처로운 눈빛이 보였다. 목이 메어왔다.

"살아 있어 줘서…… 고마워."

"그럼 이제 인정해 주는 거야?"

여전히 내게서 시선을 떼지 않은 채 그가 물어왔다.

"내가 네로라는 걸?"

"……사실 머리로는 알 것 같은데, 아직도 완전히 받아들이기는 힘들어요."

나는 주저하는 목소리로, 하지만 솔직하게 대답했다.

"폐하를 네로 대하듯 대할 수는 없어요. 이건 시간이 아무리 많이 지나도 변함없을 거예요. 내 고양이는 한 나라의 황제가 아니었지만, 지금의 폐하는 황제시니까요."

"……."

"그래도 확실한 건, 저한테는 이제 폐하도…… 네로만큼이나 소중하다는 거예요. 이걸론 부족할까요?"

"아니."

그가 고개를 저었다.

"충분해."

그런 다음 나를 다시 꼭 안아 주었고, 그다음 하려던 말은 그 포옹에 먹혀 사라졌다. 그가 나를 꽉 안은 채 내 귓가에서 중얼거렸다.

"그거면 됐어……."

"······."

"많은 거 바란 거 아니야. 그냥······."

그가 목이 멘 목소리로 숨을 터뜨렸다.

"내 존재를 인정해 줬으면 했어."

"······."

"내가 당신한테 그런 존재라는 거, 알아주고 확인해 줬으면 했어."

"전······."

"알아, 이젠. 그 마음."

그가 나를 안은 팔에 더 힘을 주었고, 몸이 조여 오는 답답함에 나는 작게 숨을 내뱉었다. 그래도 풀어 달라고는 말할 수가 없어서, 나는 가만히 있은 채로 말없이 눈만 감았다.

이윽고 내 귓가에 그가 정말로 하고 싶었을 말이 들려왔다.

"보고 싶었어, 주인님."

그리고 나 역시도, 정말로 하고 싶었던 말이었다.

"······저도 보고 싶었어요."

나도 네가 보고 싶었어, 네로.

아주아주 많이.

⚘ ⚘ ⚘

꽤 감격적인 상봉과 화해 후에, 나는 다시 방으로 돌아왔다. 마음이 한결 편안해졌다.

"다녀오셨어요, 아가씨?"

방 안으로 들어서는 나를 에이미가 반갑게 맞아주었다.

"뭐 좀 드실래요? 종일 아무것도 안 드셨잖아요."

"음, 아니야. 시간이 너무 늦었어."

시계를 보니 벌써 10시를 넘긴 시각이었다. 사실 살짝 배고프긴 했지만 몸에도 안 좋을 것 같아서 그냥 참기로 했다.

"확실히 아침보다 얼굴이 편해 보이세요. 고민이 정말 풀리셨나 봐요."

"덕분에. 고마워, 에이미."

"뭐, 저희가 특별히 한 것도 없는걸요."

머쓱하게 대꾸한 에이미가 곧바로 잊고 있었다는 듯 내게 말했다.

"참, 아까 맥켈리드 백작부인께서 다녀가셨는데, 내일부터 교육을 받으시는 게 가능한지 물어보셨어요."

"응. 이젠 괜찮아, 에이미."

나는 고개를 끄덕이며 농담조로 덧붙였다.

"확실히 여기서 지내는 동안에는 사토르디에서처럼 한가롭지가 못할 것 같네."

"저도 그렇게 생각해요. 혹시 후회하세요?"

"아니."

그런 건 아니었다. 나는 오히려 미소 지었다.

"앞으로 또 무슨 일이 일어날지 기대돼."

❧ ❧ ❧

그다음 날부터 나는 예정대로 맥켈리드 백작부인에게 내궁 업무에 대한 교육을 받기 시작했다.

난생처음 배우는 거라 처음에는 어려움이 많았지만, 시간이 지나자 점점 적응이 되는 듯했다. 맥켈리드 백작부인은 나더러 머리가 좋은 것 같다고 칭찬해 주었지만, 스스로 그렇게 생각해본 적은 단 한 번도 없어서 그냥 겉치레로 받아들였다.

"머리가 좋으면 이 문제 하나를 이렇게 오래 고민할 리 없지……."

그리고 정말로 그 말은 겉치레인 듯했다. 일어나서 세 시간 동안 붙잡고 있던 예산 문제의 답을 아직도 찾아내지 못했으니까. 머리가 쪼개질 것 같았다.

"영애."

그때, 괴로워하는 내게 리셸이 무언가를 들고 다가왔다.

"열심이시네요! 너무 멋지세요."

"멋지긴. 문제가 안 풀려."

"좀 쉬시면서 하세요. 계속 그것만 붙잡고 계셨던 거예요?"

"이게 안 풀리니까 그다음으로 넘어가질 못하겠네." 나는 괴로워하는 목소리로 불평했다.

"진도가 안 나가. 내가 이렇게 머리가 나빴나?"

"그런 말씀 마세요. 지금도 충분히 잘하고 계신걸요."

"정말?"

"그럼요. 그리고 이럴 땐 기분전환도 중요해요. 이게 도움이 되었으면 좋겠네요."

그 말과 함께 리셸이 따뜻하고 새콤한 석류차와 달콤한 머랭 쿠키를 내 앞에 내려놓았다. 나는 빙긋 웃으며 그녀에게 말했다.

"고마워, 리셸."

머랭 쿠키가 머리를 환기시켜주길 바랐지만, 영 부질없는 바람인 듯했다. 여전히 막힌 상태였으니까. 결국 끙끙거리며 펜대를 굴리는 내 모습에, 리셸이 보다 못한 얼굴로 권유했다.

"그러지 말고 산책이라도 좀 다녀오세요. 다른 일도 좀 하시고요. 오늘 당장 끝내셔야 하는 것도 아니잖아요."

"……그럴까?"

나는 눈살을 살짝 구기며 말했다.

"실은 지금 머리가 좀 지끈거려."

"그런 건 좋지 않아요."

리셸이 단호하게 말했다.

"바깥바람도 좀 쐬어 주셔야 한다고요. 요즘 너무 안에만 틀어박혀 계셨어요. 그리고 오늘 날씨가 엄청 좋아요!"

날씨가 좋다는 말에 귀가 솔깃해졌다.

나는 은근한 목소리로 물었다.

"그럼 도서관에라도 좀 다녀올까?"

리셸이 경악한 표정으로 되물었다.

"쉬시는 게 아니라 또 책을 읽으러 가신다고요? 진심이세요?"

"아니. 빌려 오기만 할 거야. 재미있고 머리 쓰지 않고도 읽을 수 있는 걸로."

"음…… 연애 소설 같은 것 말이죠?"

"뭐, 그런 것도 좋고, 우화도 좋고, 어쨌든. 같이 갈래?"

"영광이죠."

그녀가 활짝 웃으며 고개를 끄덕였다. 좋아, 오래간만에 산책이다!

·

·

·

리셸의 말대로 밖의 날씨는 정말 좋았다. 바깥에서 솔솔 불어오는 바람을 쐬니 꽉 막혔던 뇌에도 환기가 되는 느낌이었다.

도서관은 황제의 중앙궁에서 좀 멀리 떨어진 곳에 있었고, 그래서 한참을 걸어가야 했다. 하지만 힘들다거나 그만 걷고 싶다는 생각 대신 상쾌하다는 생각만 들었다. 이래저래 기분 좋은 산책이었다.

"안녕하세요, 스탁스 백작부인."

"안녕하세요, 레이디 유리네트."

내가 인사를 건넨 사람은 스탁스 백작부인으로, 황궁 도서관에서 사서를 맡고 있었다. 내가 오가며 반갑게 인사를 건넨 탓인지는 몰라도 그녀를 나를 볼 때마다 유독 반갑게 맞아 주었다.

'물론 내 착각일 지도 모르겠지만.'

어쨌든 속삭이는 목소리로 인사한 뒤에, 나는 읽고 싶은 책을 찾기 위해 종종걸음으로 걸어갔다. 같이 온 리셀 역시 간만의 독서를 위해 나와 떨어져 책을 찾고 있는 중이었다.

'근데 이런 곳에도 연애 소설 같은 게 있나……?'

뭔가 황궁 도서관이라 함은 재미를 위한 책들은 하나도 없고 학구적인 도서만 가득할 것 같은 느낌이었다. 내 고정관념일지도 모르겠다만.

"오!"

어느 순간, 나는 내가 찾던 유에 부합하는 제목의 책을 발견하고 탄성을 질렀다. 그런데 제목이……

'음…….'

……〈회끈한 하룻밤〉이었다.

'이런 책도 도서관에서 받아주는구나.'

나도 모르게 얼굴이 화끈거렸다. 아, 이런 거 빌리면 눈치 보이려나.

에이, 뭐 어때. 모르는 척하고 빌려야지. 어차피 다 읽으라고 둔 거잖아? 나는 합리화를 하며 그 코너에서 다른 책도 찾아보기로 했다. 다행인지는 모르겠지만 그 옆에 있는 책들은 전부 평범한 제목이었다.

그렇게 한 권, 한 권 제목이 마음에 드는 것들을 골라 팔에 안고 쌓다 보니 어느새 턱 밑까지 아슬아슬하게 닿아 있었다. 그러다 나는 우연히 가장 윗칸에서 엄청나게 재미있어 보이는 책을 발견했다.

'사랑할 수 없는 남자가 사랑에 빠지게 된 사연!'

나는 속으로 탄성을 지르며 그 책을 향해 팔을 뻗었다. 하지만 워낙 높이 있어서 닿지 못했고, 까치발까지 들었음에도 몇 cm 정도가 아슬아슬하게 모자랐다. 나는 발끝을 부들부들 떨면서 책을 빼내기 위해 애썼다.

'조금만, 조금만 더……!'

사실 그건 어리석은 일이었다. 사다리 의자라도 가져오거나, 아님 누군가에게 도움을 요청하는 게 현명했을 것이다. 하지만 그때 나는 그런 생각을 미처 하지 못했다. 그냥 포기하지 않은 채 책을 꺼내기 위한 사투를 계속할 뿐이었다. 그러다 결국……

"으아……!"

가장 위에 쌓여 있던 책 몇 권이 불안하게 흔들리다 바닥으로 추락했다. 나는 재빨리 책들을 잡으려 했지만 헛짓이었다. 결국 네 권의 책이 요란한 소리를 내며 우스꽝스럽게 떨어졌다.

그나마 다행인 게 있다면 인적이 드문 곳에 있어서 사람들의 이목이 집중되지 않았다는 점 정도랄까. 그럼에도 불구하고 나는 부끄러움을 느끼면서 책을 줍기 위해 무릎을 굽혔다.

'어휴, 사람이 없었기에 망정이지⋯⋯.'

엄청나게 부끄러울 뻔했지 뭐야, 정말.

그리고 마지막 책을 향해 손을 뻗으려던 순간이었다. 낯선 이의 손이 나타나 책을 집어 들었고, 여전히 책들을 감싸 안은 나는 멍하니 위로 올라가는 책을 올려다보았다.

'아⋯⋯.'

웬 장신의 남자가 내가 주우려던 마지막 책을 든 채 나를 바라보고 있었다. 그는 대단한 미남이었는데, 그의 외모는 '황궁 안에는 미남밖에 없는 것 같다'는 내 말도 안 되는 가설을 부추기기에 충분할 정도였다. 나이는 대략 20대 초중반 정도 될까?

나는 어벙한 얼굴로 그를 쳐다보다가, 이내 그것이 실례라는 사실을 깨닫고 서둘러 자리에서 일어났다. 남자가 그런 내게 말없이 책을 내밀었고, 나는 고개를 꾸벅이며 그것을 받아 들었다.

"감사합니다."

"천만에요."

마치 우유 거품 같은 부드러운 목소리였다.

'와, 목소리도 잘생겼어.'

나는 살짝 미소 지으며 고개를 끄덕여 인사 비슷한 것을 건넸다.

그리고 도망치듯 그 자리를 빠져나오려는데, 그가 나를 붙잡았다.

"처음 보는 얼굴인데요."

"……네?"

나도 모르게 당황한 소리가 먼저 나갔다. '우리 어디서 본 적 있지 않아요?'도 아니고 '처음 보는 얼굴인데요'라니.

'일단 대시는 아닌 것 같은데…….'

내가 의아한 얼굴로 그를 응시하자, 그는 빙긋 웃으며 부연 설명을 했다.

"도서관에 오시는 분들의 얼굴은 다 알고 있거든요."

"아아."

그렇다면 날 모를 수밖에 없지. 나는 고개를 끄덕이며 말해주었다.

"입궁한 지 얼마 되지 않아서요."

"하녀신가요?"

"……시녀예요."

내가 그렇게 안 귀티 나게 생겼나. 조금 상처받으려던 순간이었다.

"아, 실례했습니다."

남자는 당황한 얼굴로 빠르고 정중하게 사과했다. 그 태도가 내 마음을 조금이나마 누그러뜨렸다. 나는 괜찮다는 얼굴로 고개를 한 번 끄덕여 보인 다음 다시 빠르게 걸음을 옮겼다. 뒤에서 다시 남자가 나를 부르는 소리가 들리는 것도 같았는데, 뭔가 계속 그 자리에 있기가 부끄러워져서 못 들은 척하기로 했다.

좀 더 걸어가자 리셸이 보였다.

"다 고르셨어요, 영애?"

"응. 이거 다 대출할 거야."

"너무 많은데요. 다 읽으실 수 있겠어요?"

"이 정도 갖고 뭐. 당연하지."

"근데 아까 영애께서 계신 곳에서 큰 소리가 나던데요."

뜨끔. 나도 모르게 몸이 굳었다.

"혹시 무슨 일 있으셨어요?"

"아."

나는 민망한 표정으로 대답했다.

"실은 책을 꺼내려다 떨어뜨렸거든."

"저런. 다치시진 않았고요?"

"응. 괜찮아."

다쳤으면 지금보다 열 배는 더 부끄러웠을 것이다.

"운이 없으셨네요."

글쎄. 딱히 그런지도 모르겠다.

'덕분에 미남 한 명을 보게 되었으니까.'

나는 어깨를 으쓱인 다음 사서에게 말했다.

"이거 다 대출해 주세요."

❧ ❧ ❧

빌려온 연애 소설로 짧은 휴식 시간을 가진 뒤에, 나는 내궁의 행정을 담당하는 어컬리 백작부인의 수업을 받았다.

대략 2시간 30분 정도의 시간이 흐른 뒤에야 수업은 끝이 났는데, 휴식을 취한 후에 수업을 들어서 그런지 평소보다 이해가 잘 되는 것 같은 기분이 들었다.

"수고하셨어요, 영애."

수업이 끝났을 때, 패티가 갓 구운 듯한 냄새를 폴폴 풍기는 초콜릿 쿠키와 우유를 가지고 내 방에 들어섰다.

"늘 고생하시네요."

"고마워, 패티. 갓 구운 거야?"

"당연하죠. 드셔보세요. 맛있어요."

나는 김이 연하게 피어오르는 초콜릿 쿠키를 집어 든 다음 입안에 쏙 집어넣었다. 갓 구운 과자류만이 낼 수 있는 환상적인 달콤함이 입안에서 퍼져나갔다.

'와, 천상의 맛이야.'

나는 황홀한 목소리로 감탄사를 내뱉었다.

"정말 맛있다. 고마워, 패티."

"뭘요. 인사는 폐하께 하세요."

"응?"

뜬금없이 나온 이름에 내가 미간을 좁혔다.

"그게 무슨 소리야, 패티?"

"실은 폐하께서 보내주신 거예요."

……레이놀즈가?

뜻밖의 대답에 나는 순간 당황한 얼굴이 되어 패티에게 물었다.

"그랬어?"

"실은 아까 폐하와 잠깐 마주쳤는데, 영애의 안부를 물으시더라고요."

"……."

그날 이후 접촉이 좀 뜸하긴 했다. 또 다른 문제가 생겨서는 아니었다. 레이놀즈도 레이놀즈대로 정무에 치여 바빴지만, 나도 새로일을 배우고 적응하느라 정신이 없었으니까.

그래서 뜻밖에 듣게 된 그의 이름이 이상하게 반가웠다.

"……고맙네."

"어쨌든 수업 듣고 계신다고 말씀드렸더니, 달콤한 걸 가져다주라고 하셨어요. 스트레스 받을 때는 달콤한 걸 먹는 걸 좋아한다고 말씀하시면서요."

"……."

"정말이세요, 영애?"

"……응. 정말이야."

레이놀즈가 정말로 네로였다는 걸 이런 순간 깨달을 수 있었다. 피로에 지친 몸을 이끌고 퇴근하면 꼭 달콤한 디저트로 스트레스를 풀곤 했으니까.

'그럴 때면 네로가 옆으로 다가와 손등을 핥아주곤 했었지.'

꼭 위로해주려는 것처럼 말이다. 나는 그때를 회상하며 미소 지었다.

'이렇게 떠올리니까 새삼스럽게 찡하네.'

어쨌든 그때의 네로가 내 삶의 하나뿐인 가족이자 구원이었다는 점에 대해서는 이견이 없었다. 그건 상황이 어떻게 바뀌든 불변하는 사실이었으니까. 그 사실을 상기하면서 나는 살짝 입꼬리를 끌어 올렸다.

'그러고 보면 사토르디에 있었을 때도 이런 식으로 자기가 네로라는 걸 티 냈던 것 같기도 해.'

다만 내가 너무 둔감한 나머지 아무것도 눈치채지 못했을 뿐이었다. 도대체 이놈의 눈치는 언제쯤 키워질는지.

"이제 많이 가져다드릴게요."

"이전에도 섭섭하게 가져다준 건 아니었어."

"앞으로는 더 자주 가져다드리겠다는 말이었어요. 좋아하는 걸 많이 먹어야 행복하잖아요."

그렇게 말하면서 패티가 살포시 미소 지었고, 그 미소가 귀여워 나도 모르게 웃음이 나왔다. 그러다 문득 좋은 생각이 나서 패티에게 물었다.

"이 쿠키, 남은 거 있어?"

"더 가져다드릴까요?"

"아니, 나 말고."

나는 고개를 저은 뒤 말했다.

"폐하께 가져다드리려고."

그가 기뻐했으면 좋겠다고 생각하면서.

❧ ❧ ❧

다행히 내가 요청할 때 즈음 쿠키는 알맞게 식어, 집었을 때 조금도 뜨거움이 느껴지지 않는 수준이었다.

패티에게 예쁜 상자에 쿠키를 담아올 것을 부탁한 뒤에, 나는 그것을 가지고 바로 옆방에 있는 레이놀즈에게로 향했다.

"안녕하세요, 애슐리 경."

방 안으로 늘어서자 애슐리 경이 열심히 일하고 있는 모습이 눈에 들어왔다. 하여튼 성실하다니까.

그는 나를 보더니 반가운 얼굴로 내 인사를 받아 주었다.

"안녕하십니까, 레이디 유리네트. 오랜만에 뵙는 것 같군요."

"요즘 일을 배우고 공부하느라 많이 바빴거든요."

"힘드시진 않고요?"

"힘들죠. 안 힘들다고 말한다면 거짓말일 거예요."

나는 씩 웃으며 덧붙였다.

"그래도 이젠 좀 적응했어요. 나름 재미있기도 하고요."

사실 이건 좀 긍정적으로 말한 거고, 솔직하게 말하자면 힘든 점이 더 많았다.

"다행이네요. 학구적이세요, 레이디 유리네트."

"별말씀을. 듣기 부끄럽네요."

여기 사람들은 다 칭찬 로봇 같았다. 별거 아닌 일에도 툭하면 칭찬을 해준달까. 나는 들고 있던 두 개의 상자 중 하나를 애슐리 경에게 내밀며 말했다.

"참, 이거 드셔 보세요. 갓 구운 쿠키인데, 아주 맛있답니다."

"감사해요. 직접 구우신 건가요?"

"아뇨. 주방장이 구웠죠."

나는 머쓱해진 얼굴로 어깨를 으쓱이며 덧붙였다.

"그편이 더 좋으실 거예요. 전 요리에 능하지 못하거든요."

"어느 쪽이든 다 좋군요. 잘 먹겠습니다."

감사 인사를 한 애슐리 경의 시선은 어느새 내가 들고 있는 남은 한 상자로 향했다.

"그건 폐하께 드리려고 가져오셨나요?"

"네. 알현이 가능하다면요."

"지금 집무실에 계십니다. 손님을 만나고 계시거든요."

"손님이요? 그럼 응접실로 가시지 않고……."

"막역하신 분이시라서요."

"막역하신 분이요?"

"네."

"누구시길래……."

친구라도 되나? 근데 레이놀즈한테 친구도 있었어? 내가 갸웃거리자, 애슐리 경이 빙긋 웃으며 대답했다.

"러셀 공작께서 와 계십니다."

"러셀 공작이요?"

그게…… 누구지? 내가 눈살을 찡그리며 깊게 고민하고 있는데, 애슐리 경이 선수를 쳤다.

"폐하의 남동생 되시는 분입니다."

레이놀즈에게 남동생이 있었어?!

나는 커진 눈으로 애슐리 경을 응시했다가, 이내 기억해 냈다. 레이놀즈가 혼수상태에 빠져 있던, 그러니까 내 고양이 네로로 살던 1년 동안 섭정이 되어 엘스워드를 이끌었다는 그 남자를.

'맞아. 배다른 남동생이 하나 있다고 했었지.'

그 남자가 러셀 공작이었다는 사실을 잊고 있었다. 나는 기억났다는 얼굴로 고개를 끄덕였다.

"맞아요. 형제가 한 분 계셨었지요, 참."

"네. 그분이 이틀 전 귀국하신 후 입궁하셨답니다. 섭정에서 물러나신 직후 외교 사절 자격으로 출국하셨거든요."

"아아, 그랬군요. 그런데 그분께서는……."

덜컥. 그때, 문이 열리는 소리와 함께 말이 끊겼다. 나는 애슐리 경과 함께 반사적으로 고개를 돌려 문가를 쳐다보았다. 레이놀즈의 집무실에서 누군가가 나오고 있었다. 그리고 난 그 사람이 누군지 알고 있었다.

"어……?"

정확히는 안면이 있는 사람이었다. 나는 당황한 얼굴로 그 남자에게서 시선을 떼지 못했고, 이내 남자의 시선 또한 내게로 와 닿았다. 그는 나를 보더니 반가운 사람을 만난 것마냥 미소 지으며 이쪽으로 다가왔다. 내 앞에 선 그가 말을 건네왔다.

"또 보네요."

존댓말을 듣는 게 불편했다. 이 사람, 공작이라며…….

"존대하실 필요는 없습니다, 전하."

나는 깍듯한 어투로 그에게 인사했다.

"유리네트 조셋 엘 사토르디라고 합니다."

"아까 뵈었었지요."

그가 빙긋 웃으며 내게 말을 건넸다.

"숙녀를 존중하는 건 신사의 의무지요. 부담스러워하실 필요 없습니다."

"……."

하지만 부담스러운데요. 이건 비유하자면 젊은 사장에게 존댓말을 듣는 직원이 된 기분이라서…….

"괜찮습니다. 제가 불편해서……."

"두 분 아시는 사이십니까?"

"말씀하셨듯 아까 한 번 뵈었어요."

나는 오해의 여지를 없애기 위해 덧붙였다.

"도서관에서 우연히요. 그런데 공작 전하신 줄은 몰랐네요."

"아, 그러셨군요."

애슐리 경은 그제야 이해했다는 얼굴로 고개를 끄덕였다.

"전하께서는 도서관에 자주 드나드는 편이시지요. 하지만 귀국하고 입궁하시자마자 도서관부터 찾으실 줄은 몰랐네요."

"출국 전 빌린 책을 반납해야 했거든. 경도 알다시피 스탁스 부인은 반납 기한을 안 지키는 걸 몹시 싫어하는 사람이라."

"그렇긴 하지요. 폐하와는 이야기 잘 나누셨습니까."

"여전하시더군. 아니, 정확히는 좀 더 건강해지신 느낌이야."

러셀 공작이 만족스러워하는 미소를 띤 얼굴로 덧붙였다.

"요양의 힘이 큰 것 같던데."

"사토르디 온천에 효험이 있나 봅니다, 영애."

애슐리 경이 기뻐하는 목소리로 내게 말했고, 그 말에 러셀 공작이 내게로 시선을 돌렸다. 그가 잊고 있었다는 얼굴로 입을 열었다.

"아, 그분이시로군요. 폐하께서 이번에 데려오셨다는……"

"네. 중앙궁에 시녀로 입궁한 지 얼마 되지 않았습니다."

"꼭 한번 만나보고 싶었습니다. 형님 폐하는 까다로우신 분이거든요. 그런 폐하께서 단번에 마음에 들어 하신 분이라면 분명 특별할 거라고 생각했습니다."

"특별하다뇨, 전하. 당치도 않습니다."

과분한 칭찬이라 내 얼굴은 자연적 붉어졌다. 아무래도 여기 사람들은 다 칭찬봇이 틀림없다.

"전 그냥 평범한 사람인걸요."

"폐하의 마음에 드셨으니 어찌 되었든 평범하지는 않으신 것 같습니다."

그는 끝까지 칭찬을 거두지 않았고, 나는 그 '평범하지 않다'는 표현이 영 듣기 낯간지러웠다.

"앞으로 자주 뵐 수 있다면 좋겠군요."

"네. 뭐 저도 그렇게 생각…… 흐익!"

그때 내 입에서 요상한 소리가 터져 나왔다. 그 소리는 정당했는데, 러셀 공작이 돌연 내 손을 잡더니 손등 위에 키스했기 때문이었다. 남자가 여자의 손등에 키스하는 건 엘스워드 귀족 사회에서 관행 같은 인사법이라고 들었지만, 난 아직 완전한 여기 사람이 아니었기 때문에 몹시 당황스럽게 느껴졌다. 그리고 이런 인사를 받는 게 이 남자가 처음이라 더 그런 걸지도 모른다.

끼이익.

그때 다시 한번 문이 열리는 소리가 들려왔다. 우리의 시선은 또다시 한번 문가로 향했다. 이번에는 정말로 이 방의 주인이었다.

"루퍼트."

아마도 러셀 공작의 이름을 부르면서, 레이놀즈는 우리가 있는 쪽으로 시선을 주었다. 그리고 기분 탓인지는 모르겠지만, 우리의 모습을 확인한 그의 표정이 미묘하게 가라앉았다.

'……기분 탓이 아닐 거야.'

아마 저 표정의 이유는 나 때문일 가능성이 컸고, 더 정확히 말하자면 루퍼트 때문일 가능성이 컸다. 내가 애슐리 경과 함께 있는 모습만 봐도 고까워하는 남자니까.

'……하지만 루퍼트는 자기 동생인데?'

아, 배다른 남동생이라 그런 건가? 어쩌면 그냥 남자는 다 경계하는 걸지도 모른다.

'……이 정도면 병이야, 진짜.'

뭐, 저 남자 속을 누가 알겠어. 그리고 그런 건 루퍼트를 보낸 뒤에 물어봐도 되는 문제니까. 나는 일단 그에게 인사부터 했다.

"엘스워드의 태양, 황제 폐하를 뵙습니다."

"……루퍼트."

하지만 그는 내 인사를 받아주는 대신 제 이복형제의 이름을 불렀다. 본의 아니게 인사를 씹힌 내가 어리둥절한 표정을 지었다.

"아직 안 갔구나."

"아, 네. 폐하."

루퍼트가 정중하게 답했다.

"레이디 유리네트와 이야기를 나누고 있던 중이었습니다."

"……네가 그녀와 왜?"

"네?"

"네가 그녀와 이야기를 나눌 이유가 있나?"

"어……."

루퍼트는 레이놀즈의 공격적인 물음에 퍽 당황한 것처럼 보였다. 이런 면을 처음 봤거나 이럴 줄은 몰랐다는 뜻이다. 어느 쪽인지 모르겠지만 어쩌면 둘 다일지도 모르겠다고 생각하면서, 나는 나서야 하는지 나서지 말아야 하는지 신중하게 각을 쟀다. 그리고 일단은 나서지 말자……는 깨달음을 얻었다.

'제국 서열 1, 2위가 이야기하는 데 끼어들 수는 없지.'

사실 제국 서열 1위에게 끊임없이 딴죽을 걸고 끼어들었던 내가 내릴 만한 결론인지 의문스러워졌지만, 어쨌든 레이놀즈는 내게 네로였고 제국 서열 2위는 아니니까.

"아까 도서관에서 우연히 마주쳤는데, 또 만난 것이 반가워서 말입니다. 혹 기분 상하셨습니까."

"······아니다."

진심인지 아닌지 모를 모호한 대답을 한 채, 레이놀즈는 다시 내게로 시선을 옮겼다. 나는 어색하게 웃으며 분위기를 풀어 보기 위해 애썼지만, 유감스럽게도 별로 효과는 없는 듯했다.

"이만 가보도록 해라. 피곤한데 내가 너무 잡고 있는 것 같아서 미안하니까."

"아, 네. 알겠습니다, 폐하."

그 말을 끝으로 루퍼트는 방에서 나갔고, 나는 멍한 표정을 지었다.

"레이디 유리네트."

레이놀즈가 나를 불렀고, 나는 그제야 정신이 돌아왔다. 내가 흠칫 놀란 얼굴로 레이놀즈를 쳐다보았다.

"안으로 들어오지."

"네······?"

"날 만나러 온 것 아닌가?"

맞았다. 나는 고개를 끄덕였다.

.

.

.

집무실 안으로 들어온 뒤에, 나는 무슨 말부터 해야 할지 고민하다가 그에게 쿠키 상자부터 내밀었다. 그것을 받아든 레이놀즈가 내게 물었다.

"이게 뭐지?"

"쿠키랍니다, 폐하."

나는 친절히 아까 상황을 상기시켜 주었다.

"제 하녀에게 제 안부를 물으셨다고 들었어요. 그리고 달콤한 걸 가져다 달라고 하셨다고……."

"아."

그제야 레이놀즈는 생각났다는 얼굴을 했다.

"그랬었지."

"그래서 감사 말씀드리려고요. 용케…… 기억하고 계셨네요."

이 남자 앞에서 네로와 함께 있었던 시간의 일을 꺼내는 게 적응이 안 되고 어색했지만, 그렇다고 해서 이 남자가 네로였다는 사실이 변하는 건 아니다. 나는 부자연스럽게나마 웃으며 그에게 말했다.

"좀 식긴 했지만 만든 지 얼마 안 되었어요. 아주 맛있으니까 한 번 드셔보세요."

"……."

"별로신가요?"

대답이 없는 그에게 조심스럽게 묻자, 그가 빠르게 고개를 저었다.

"아니. 마음에 들어."

그렇게 말한 뒤에, 그는 조그마한 목소리로 덧붙였다.

"고마워."

"네. 저도요."

나는 씩 웃으며 말했다.

"그거 전해드리러 온 거예요. 그럼 전 이만……."

"일은 배울 만해?"

갑작스러운 질문에 나는 잠시 멈칫했다가 이내 고개를 끄덕였다.

"모두 잘 가르쳐 주시고 계세요. 제가 모자라서 못 따라갈 뿐이죠."

"'그때'도 유능했던 것 같은데, 유린은."

"……."

'그때'라 함은 당연히 대한민국에 있었을 때를 말하는 것일 테다.

그것 때문에 첫 번째 멈칫했고, 그가 내 이름을 부른 것 때문에 두 번째 멈칫했다.

"이름은 안 부르기로 하셨잖아요."

"어쩔 수가 없었어."

그는 억울하다는 목소리로 해명했다.

"그때 네로의 주인님은 '권유린'이었잖아."

"……."

"물론 지금도 그렇다는 건 변함없는 사실이지만, 어쨌든 외피는 사토르디 영애니까. 한 수 접는 거야."

묘하게 설득력 있는 말에 나는 할 말을 잃었고, 그는 승리의 미소를 지었다. 아, 하여튼 언변 하나는 뛰어난 남자.

"폐하는 뭐…… 어떻게 지내셨어요, 그동안?"

분위기가 이상하게 흘러가는 것을 막기 위해 나도 빠르게 화제를 돌렸다. 그리고 레이놀즈는 그런 내 의도를 알아차린 듯 빙긋 미소 지었다. 그 미소가 의미심장하게 보여서 괜히 기분이 묘해졌다.

"아주 힘들고 바쁘게 지냈지."

"안 와보길 잘했네요."

그가 나를 빤히 응시하자, 내가 부연하듯 덧붙였다.

"괜히 방해하지 않길 잘했다는 뜻이에요."

"……아니야. 안 와서 서운했는데."

필터링 없는 그의 솔직함에 나는 순간 당황했다. 그가 여전히 나를 빤히 응시하며 덧붙였다.

"왔으면 숨통이 트였을 거야."

"……"

"기다렸거든."

그 말에 나도 모르게 움찔했다. 비난하는 목소리는 아니었지만, 비 맞은 고양이가 애처롭게 하소연하는 것처럼 들렸다.

'아, 하필 비유를 해도 고양이라니!'

사실 비유가 아니라 진짜였지만.

"······알았어요. 앞으로는 자주 올게요."

그렇게 말했다가, 나는 빠르게 말을 바꾸었다.

"그런데 폐하께서도 저 안 부르셨잖아요."

그래서 안 온 건데! 나는 항변했다.

"어떻게 아무 용건도 없는데 폐하의 집무실을 드나들어요?"

"아, 그게 문제였어?"

레이놀즈는 뜻밖의 사실을 깨달은 사람 같은 얼굴을 짓더니 의미심장한 한 마디를 내뱉었다.

"용건이야 만들면 그만이지."

"네?"

"앞으로 매일 4시에 나와 티타임을 가지면 되겠네."

"네에? 농담이시죠?"

"아니? 이런 걸로 왜 농담을 하겠어, 내가."

진담인 듯했다. 헐.

"갑자기 웬 티타임이에요?"

"영애는 시녀잖아."

"그런데요?"

"내 정신적 피로 해소에 기여해야 할 의무가 있어."

뭔 그런 듣도 보도 못한 의무를······. 내가 황당함에 아무 말도 못하자, 그가 제멋대로 말했다.

"그럼 동의한 것으로 알지."

"……안 했는데요, 동의."

"그래서, 싫다고?"

레이놀즈가 아까처럼 나를 빤히 응시하며 물었다.

"주인님이 자기 고양이랑 같이 차도 함께 못 마셔주나?"

"아, 아니……! 누가 고양이에요?"

뜻밖의 이야기가 튀어나오자 내가 경악한 얼굴로 목소리를 높였다.

"아무도 안 믿을걸요? 폐하께서 제 고양이였다고!"

"그게 뭐가 중요해."

그가 나직하게 웃으며 대꾸했다.

"영애가 그 사실을 알고 있다는 게 중요하지."

"……."

"그렇지? 어디 가서 말 안 할 거잖아, 어차피."

정답이다. 어차피 말해봤자 나만 미친 여자 취급받을 테니까.

"하아……. 원래 매일 티타임을 가지셨던가요, 폐하께서?"

"사실 차 마시는 시간 따위 사치라고 생각했는데."

엘스워드의 귀족들이 들으면 경악할 말이었다. 이곳에서 티타임은 귀족성과 부유함의 상징으로 여겨졌으니까.

"궁의도 너무 스트레스 받으면 안 되니 적당한 휴식을 취하라고하더군."

"그런 거라면 부족하신 잠을 보충하는 게 좀 더 도움이 될 것 같은데……."

"그래서 싫다는 건가?"

또다시 내게 향한 빤한 눈빛. 나는 난감한 표정으로 슬며시 그의 시선을 피했다가, 결국 한숨을 내쉬었다. 내가 어떻게 이겨, 이 남자를.

"대신 차만 마시고 갈 거예요."

"뭐, 마음대로 해."

그가 기묘하게 미소 지었고, 나는 어쩐지 걱정스러워졌다. 무슨 이상한 속셈이 있는 건 아니겠지?

"그보다 무슨 일로 그렇게 힘드셨는데요?"

"아아……."

내 질문에 그가 일순 당혹스러워하는 표정을 지었다. 내가 왜 그러느냐고 묻기도 전에, 나를 멈칫하게 만드는 답변이 돌아왔다.

"귀족들이 어서 황후를 들이라고 성화야."

그의 시선이 다시 한번 나를 향했다.

"나이가 있으니 더는 미룰 수 없다는 거지."

"……"

"작년에 1년 동안 쓰러져 있기도 했고."

레이놀즈의 나이가 올해로 28세였으니 합당한 걱정이었다. 나는 어떤 표정을 지어야 할지 고민하다가, 최대한 침착하게 고개를 끄덕였다.

"그러셨군요."

"피곤하셨겠어요."

"……그게 다야?"

레이놀즈가 나를 빤히 쳐다보며 물었고, 나는 입안이 써지는 것을 느꼈다.

"무슨 뜻이신가요?"

태연하게 되묻자 레이놀즈는 할 말을 잃은 표정을 지었다. 차라리 날 비난하는 얼굴이었다면 마음이 더 편했을까. 그냥 한없이 애처롭고 비참한 것 같은 표정이라 가슴이 이상하게 울렁거렸다. 나는 여기 더 있으면 안 되겠다고 결론 내린 뒤 빠르게 말을 내뱉었다.

"아, 그러고 보니 또 수업이 있다는 걸 잊었네요."

"……."

"그럼 내일 4시에 또 뵙겠습니다, 폐하. 모쪼록 그때까지 일신 안녕하시기를."

꾸벅 인사를 남긴 뒤 곧바로 집무실을 나갔다. 탁, 문을 닫고 나오는데 기분이 싱숭생숭했다.

'왜 이러지.'

마음을 거절한 건 나니까, 아까 같은 말을 들었을 때면 그냥 덤덤하게 구는 게 맞았다. 그게 예의이고 사리에 맞는 일이다. 하지만 그 말을 들은 뒤 나는 이상하게 기분이 가라앉는 것을 느꼈다.

'이상해.'

정말 이상한 일이었다.

6

Debut

"폐하와 무슨 일이라도 있으셨습니까?"

내가 착잡한 표정으로 가만히 서 있자, 그걸 이상하게 여긴 애슐리 경이 물어왔다. 나는 빠르게 얼굴을 펴며 고개를 저었다.

"아무것도 아니에요."

"'아무것도 아닌' 표정이 아니신걸요."

"제 표정이요?"

"네."

애슐리 경이 정확히 짚어냈다.

"싱숭생숭해 보이십니다."

"……음. 그런가요."

내 마음을 나보다 남이 더 잘 알다니. 아이러니하다.

"싱숭생숭한 건 아니고, 좀 놀라서요."

"뭐가요?"

"요즘 귀족들이 폐하께 황후 책립을 건의한다고 들었거든요."

"아아."

애슐리 경은 썩 놀라워하지 않는 투였다.

"나이가 있으시니 당연하지요."

"하지만 폐하께서 자꾸 미루신답니다."

"……왜 그러실까요."

"글쎄요."

그가 의미심장한 얼굴로 나를 보며 말했다.

"이미 마음에 두신 분이 계신다면."

"뭐, 미루시는 것도 이해는 갑니다."

"좋은 분과 결혼하셔야죠."

나는 애써 미소 지으며 말을 이었다.

"훌륭한 명문가의 영애와요."

"귀족이기만 한다면야 다른 게 무슨 소용이겠습니까."

"네?"

"지나치게 세가 강한 처가는 외려 황권에 위협이 될 수도 있으니까요."

"그래도 이왕이면 좋은 가문의 영애와 결혼하시는 게 좋다고 생각해요, 전."

"흐음……."

"다른 일도 아니고 황제 폐하의 결혼인걸요. 예로부터 명문가의 여식이 황후가 되는 사례가 많은 이유가 있겠죠."

"뭐, 어느 쪽이든 황가와 폐하께 이익만 된다면야 전 상관없다고 생각합니다."

"……네, 뭐. 그렇죠."

나는 떨떠름한 목소리로 대답하고, 꾸벅 인사를 하고 방에서 나갔다. 아무래도 나와 애슐리 경은 생각이 다른 것 같았다.

그래서일까. 내 방까지 걸어가는 동안 기분은 더 싱숭생숭해졌다. 누구 말이 맞는 걸까.

❦ ❦ ❦

"수고하셨습니다, 맥켈리드 백작부인."

다음날, 오전 수업을 마친 후 나는 맥켈리드 백작부인에게 정중하게 인사를 건넸다. 내궁의 전반 사항을 총괄하는 그녀는 내게 예산 편성에 대해 가르치는 사람이었다. 내 인사에 맥켈리드 백작부인이 빙긋 웃으며 말했다.

"영애께서도 수고가 많으셨습니다. 고된 일정일 텐데 잘 따라와 주시는 것을 보면 가르치는 입장으로서 정말 뿌듯하답니다."

"백작부인께서 잘 가르쳐 주신 덕분이랍니다."

"아니에요. 영애께서는 확실히 이쪽으로 머리가 있으신 듯하니다. 물론 노력의 산물이기도 하겠지만요."

"그렇게 봐주신다니 감사해요."

"그래서 말인데……."

맥켈리드 백작부인이 길게 말을 늘였고, 나는 그녀가 직감적으로 내게 하고 싶은 말이 있음을 알아차렸다.

"말씀하시지요, 부인."

"곧 황궁에서 정기 무도회가 열린답니다. 알고 계셨나요?"

"아……뇨. 몰랐습니다."

금시초문이었다.

하지만 내 어리둥절한 대답에도 맥켈리드 백작부인은 온화한 얼굴로 말을 이었다.

"뭐, 지금 알았으니 된 것이지요. 다름이 아니라, 그 정기 무도회 준비에 영애가 동참해 주었으면 해요."

뜻밖의 제안에 나는 커진 눈으로 물었다.

"제가요?"

"네. 입궁한 지도 한 달 정도 되셨지요? 이제 슬슬 일을 도우셔도 될 것 같은데. 무도회 준비는 그리 어려운 게 아니니 잘하실 수 있을 거예요."

"전 너무 이르다고 생각해요, 백작부인."

내가 당혹스러운 목소리로 그녀에게 말했다.

"잘할 수 있을지 모르겠어요. 솔직히 자신이 없네요."

"황궁에 29년 동안 있었지만, 내 감이 틀렸던 경우는 거의 없어요."

맥켈리드 백작부인이 따뜻한 시선으로 나를 바라보며 말했다.

"전 영애가 잘할 수 있을 거라 보는데, 내 오판일까요?"

"……."

저런 물음에 '네, 오판이에요!'라고 대답할 수 있는 사람은 없을 것이다. 물론 나도 포함해서…….

"열심히 하겠습니다, 백작부인."

결국 나는 이렇게 말해 버렸다. 흐뭇하게 웃는 맥켈리드 백작부인의 미소가 보였다.

❧ ❧ ❧

"그럼 이번 무도회 준비에 아가씨께서도 참여하시는 건가요?"

소식을 듣게 된 에이미가 눈을 반짝이며 물어왔다. 나는 너털웃음을 지으며 말했다.

"그냥 자잘한 일을 준비하는 것뿐이야. 아무렴 이제 입궁한 지 1달 된 시녀에게 큰 걸 맡길까."

"뭐든 참여하신다는 데 의의를 둬야죠. 얼마나 대단해요? 이게 다 아가씨께서 유능하셔서 그런 거예요."

"에이미 말이 맞아요, 영애. 이건 영애의 실력을 인정받으신 거라

264

구요."

"맞아요. 맥켈리드 백작부인은 엄청나게 까다로우신 분이에요. 영애께서 마음에 안 드셨다면 일을 맡기지도 않으셨을걸요?"

모두의 칭찬에 나는 머쓱해졌다. 그러다 문득 나는 어제 레이놀즈와 했던 대화를 떠올리고선 손뼉을 쳤다.

"내 정신 좀 봐. 지금 몇 시지?"

"2시예요, 아가씨."

"왜 그러세요?"

"오늘부터 매일 4시에 폐하와 티타임을 가지기로 했거든."

"아, 그럼 디저트를 준비해야겠네요?"

"그래야겠지? 폐하께 준비를 맡길 수는 없으니까."

그런 건 시녀로서 내가 당연히 해야 할 일이었다. 나는 진지한 얼굴로 중얼거렸다.

"뭘 좋아하실까?"

그러고 보니 레이놀즈에 대해 아는 게 많이 없었다. 네로일 때는 그가 뭘 좋아하는지 파악하기 쉬웠지만, 지금은 아니었으니까.

심지어 맥켈리드 백작부인조차 그의 식성이 워낙 변덕스러운 탓에 정확히 아는 바가 없다고 했다. 어떨 때는 단 걸 좋아했다가, 어떨 때는 또 단 걸 싫어해서 가급적 중립적인 맛에 가까운 요리들로 준비한다고.

'전쟁이 사람을 그렇게 바꿔놓는 거야, 아니면 원래 성격이 변덕

스러운 거야?'

그때, 고민하는 내게 아니스가 조용히 말해왔다.

"너무 고민하지 않으셔도 될 것 같아요, 영애. 단발적인 티타임도 아니고, 앞으로 매일 가지실 거니까요."

"역시 그렇지?"

"네. 지금 이 시각쯤이면 배가 고프실 텐데, 곧 저녁도 드셔야 하니까 간단하게 준비하는 게 좋겠어요. 에그타르트는 어떠세요?"

"오, 좋다. 너무 달지도 않을 것 같고."

"거기에 우바 티를 곁들여 먹으면 좋을 것 같아요."

"좋은 생각이야."

나는 활짝 웃으며 말했다.

"그럼 4시까지 준비되도록 주방에 전해줘."

❧ ❧ ❧

정확히 4시가 되기 10분 전, 나는 약속대로 레이놀즈와 티타임을 갖기 위해 옆방으로 향했다.

'지금쯤이면 준비는 다 되었겠지?'

2시간이나 전에 말해 두었으니 아마 충분할 것이다. 레이놀즈의 방 앞까지 도착한 내가 안으로 들어가려던 순간이었다.

"레이디 유리네트?"

언젠가 한 번 들어본 적 있는 남자의 목소리가 들려왔다. 내가 반사적으로 고개를 돌리자, 바로 어제 보았던 남자의 얼굴이 보였다. 나는 '오' 하고 소리를 내며 남자의 신분을 입에 담았다.

"러셀 공작 전하."

루퍼트였다. 입가에 잔잔한 미소를 띤 그가 내게 인사를 건네며 이쪽으로 걸어왔다.

"또 뵙는군요."

"상당히 자주 뵙습니다."

나는 그에게 꾸벅 무릎을 굽혀 인사한 다음 물었다.

"폐하를 뵈러 오신 건가요?"

"그렇습니다. 영애께서는······."

"아."

나는 순간 머쓱해져서 얼른 답했다.

"그렇게 중요한 일로 온 건 아니라······. 전 밖에서 대기하고 있을 게요."

"일단 같이 들어가시지요. 그보다 무슨 일로 오신 건가요?"

"음····· 실은 제가······."

이상하게 '티타임을 가지러 왔습니다'라고 말하는 게 머뭇거려졌다. 너무 한가해 보여서 그런가. 그렇다고 거짓말을 할 수도 없어서 결국 솔직하게 대답해 주었다.

"폐하와 앞으로 매일 티타임을 가질 예정이라서요."

"아."

"4시에요."

그 말에 루퍼트가 재빨리 입고 있던 재킷 안에서 회중시계를 꺼내 시간을 확인했다.

"몰랐네요. 죄송합니다, 영애."

"오, 아뇨. 전하께서 죄송해 하실 일은 절대 아니랍니다."

나는 손사래를 치며 그에게 말했다.

"정무 관련해서 오신 건데, 티타임 때문에 방해가 될 수는 없지요. 일단 들어가시지요."

말을 마친 뒤에 나는 문을 열고 안으로 들어갔다. 어제와 마찬가지로 열심히 일을 하고 있는 애슐리 경의 모습이 보였다. 그는 함께 등장하는 나와 루퍼트의 모습을 보더니 의아한 목소리로 물었다.

"두 분께서 어쩐 일로 같이 오십니까?"

"바로 앞에서 만났어요. 폐하께서는 안에 계시나요?"

"아, 폐하께서는 지금……."

"……두 사람이 왜 같이 있지?"

"……뒤에 계시네요."

재빨리 뒤를 돌자, 방금 회의를 마치고 다녀온 듯한 모습의 레이놀즈가 보였다. 나는 잊지 않고 인사부터 올렸다.

"제국의 태양, 황제 폐하를 뵙습니다."

"엘스워드의 주인, 형님 폐하를 뵙습니다."

"우리 사이에 인사는, 루퍼트."

건조하게 대꾸한 그가 나와 루퍼트 사이를 가른 채 지나간 뒤 멈추어 섰다. 그리고 다시 뒤를 돈 뒤에 어쩐지 날카롭게 들리는 목소리로 물었다.

"두 사람이 왜 같이 있지?"

"방금 도착했습니다, 폐하."

나는 빠르게 대답했다.

"전 아시다시피 티타임 때문에 왔고요."

"전 보고 드릴 사항이 있어서 왔습니다."

"……우연이 겹쳤군."

그는 어쩐지 서늘하게 들리는 목소리로 중얼거렸다.

"신기하게."

말과는 달리 별로 안 신기하다는 목소리다.

"……그러게요."

나는 어쩐지 아슬아슬하게 느껴지는 분위기를 풀기 위해 넌지시 레이놀즈에게 물었다.

"괜찮으시다면 공작 전하께서도 함께 다과를 들고 가지 않으시겠어요? 제가 주방장에게 타르트를 많이 구워 놓으라고 전해 놓았는데……."

내 말에 루퍼트는 레이놀즈 눈치부터 보았고, 그 모습을 보는 나는 황당해졌다. 아니, 도대체 남동생 기를 얼마나 죽여놨길래 이렇게 눈치를 봐?

권유린의 나이가 루퍼트보다 많았기 때문에, 유리네트의 나이는 고작 스물이었음에도 나는 루퍼트가 남동생처럼 느껴졌다. 그래서 대답이 나오기 전에 내가 먼저 레이놀즈에게 물었다.

"안 되나요, 폐하?"

"……아니. 그럴 리가."

하지만 대답하는 목소리에서는 영 온기가 느껴지지 않았다. 레이놀즈가 여전히 건조한 목소리로 우리에게 말했다.

"세 사람이서 티타임을 가지기에 이곳은 부적절한 것 같은데. 응접실로 가지."

❧ ❧ ❧

결국 우리 셋은 응접실에서 함께 티타임을 가지게 되었다.

'첫 티타임부터 다른 사람이 끼다니.'

전혀 예상치 못한 상황이 참신하게 느껴졌다. 나는 앞에 놓인 우바 티를 홀짝인 다음 루퍼트에게 말을 걸었다.

"제가 괜한 말씀을 드려서 공연히 전하의 시간을 빼앗은 것은 아닌지 모르겠어요. 보고 때문에 오셨다고 들었는데……."

"아닙니다, 레이디 유리네트."

루퍼트가 미소 지은 채 고개를 저었다.

"안 그래도 온 김에 형님 폐하와 담소라도 나눌까 생각하고 있었거든요. 영애와도 함께 이야기 나눌 수 있어 기쁩니다."

"제가 들어도 상관없는 내용이라면, 이곳에서 보고를 하셔도 괜찮아요."

"아닙니다. 신성한 티타임 시간에 정무 이야기를 꺼낼 수는 없지요."

괜찮은데…….

하지만 더 말했다가는 부담스러워할 것 같아서 나는 자연스럽게 화제를 돌렸다.

"그보다 폐하께서는 원래 이 시간에 회의를 다녀오시나요? 제가 배운 대로라면 오늘 회의는 오전에만 있는 것으로 아는데."

"잘 배웠네."

레이놀즈가 흐뭇한 미소를 지으며 나를 빤히 쳐다보았다. 그 시선에 나도 모르게 루퍼트를 의식하며 얼굴이 붉어졌다.

아, 이거 약간 각서 내용에 위반되는 거 같은데…….

"기특하게."

"폐하, 각……."

"급하게 잡힌 회의였어. 변경 지역에서 롤씨족이 침입해 왔거든."

"안 그래도 그 문제 때문에 찾아뵈었습니다, 폐하."

적절한 타이밍에 루퍼트가 끼어들었다.

"롤씨족의 행동 양태에 대한 보고서 작성을 완료했거든요. 전달

드리며 보고하려고 했습니다."

"그건 이따 사토르디 영애를 보낸 후에 해도 늦지 않을 것 같은데. 어차피 긴 시간 동안 차를 마실 것도 아니니까."

"동의합니다, 폐하."

입가에 잔잔한 미소를 띠운 루퍼트가 우아한 목소리로 말했다.

"지금은 잠시 휴식을 취하시지요. 시종들의 말로는 오늘도 세 시간을 채 못 주무셨다고 들었습니다."

세, 세 시간? 그 기록적인 숫자에 나는 믿을 수 없다는 얼굴로 레이놀즈를 쳐다보았다. 하지만 그의 표정은 변함없이 건조하고 차분했다. 그 여상스럽다는 태도가 이질적으로 느껴졌다.

지금 이 상황, 나만 황당해?

"하루 이틀도 아닌데."

"요양을 다녀오시긴 했지만, 아직은 주의하셔야 한다고 궁의가 그러지 않았습니까."

"괜찮다, 루퍼트."

레이놀즈가 대수롭지 않은 목소리로 대꾸했다.

"그곳에서 평생 치 휴식은 다 취했으니까."

거기서 그렇게 열심히 쉬었다고……?

'이건 도대체 어떻게 받아들여야 하는지 모르겠네.'

그만큼 열심히 쉬었다는 걸로 받아들여야 하는지, 아니면 그 쥐꼬리만큼의 휴식조차도 이 남자에게는 커다란 사치라는 건지.

'솔직히 후자에 더 가까워 보이는데……'

황제도 진짜 아무나 하는 게 아니구나.

나는 고개를 절레절레 저었다.

"그보다 에그타르트는 입에 맞으시나요?"

"네. 저는 아주 맛있습니다, 레이디 유리네트."

"폐하께서는요? 괜찮으신가요?"

"먹을 만하네."

……뭐야, 저 성의 없는 평가는? 솔직히 이건 맛에 대해 잘 알지
못하는 사람도 가히 훌륭하다고 평가 내릴 법한 타르트였다. 내가
미각적으로 둔한 편이기에 더 당당하게 말할 수 있었다.

"다음부터는 더 혼신의 힘을 다해 만들라고 하겠습니다."

……물론 솔직하게는 말하지 않았지만.

그래도 나름 뼈 있는 말을 건넸다. 나는 속으로 구시렁거리다가,
이내 화젯거리 하나를 더 떠올려 내고선 입을 열었다.

"참, 저 이번에 정기 무도회 준비를 맡게 되었어요."

"정기 무도회 준비?"

"네."

"맥켈리드 백작부인이 벌써 그런 걸 시켰다고?"

"신기하네요."

둘 다 놀랍다는 모습이었다.

그 반응이 이해되지 않아서 나는 어리둥절한 얼굴로 물었다.

"왜 그러세요?"

"맥켈리드 백작부인이 상당히 깐깐한 사람이거든. 겉으로는 그렇게 안 보이지만."

"입궁한 지 한 달밖에 되지 않은 영애를 준비에 참여시켰다는 건 그만큼 신뢰하신다는 뜻이지요. 축하드립니다."

"나도 즉위한 뒤에나 그녀의 신뢰를 얻었는데 말이지."

"헉, 정말요?"

그건 정말 뜻밖의 이야기라 내 눈은 자동적으로 커졌다. 내가 겪은 맥켈리드 백작부인은 그렇게 까다로운 사람이 아니었기 때문이었다.

물론 꼼꼼하고 세심한 성격이긴 했지만 깐깐하다는 느낌은 받지 못했다. 아직 함께 일을 한 적이 없어서 그런가는 몰라도.

"좋으신 분 같았어요."

"……그래, 뭐. 좋으신 분이지."

레이놀즈가 의미심장한 미소를 지으며 중얼거렸다.

"내 모친의 역할을 다 해주셨으니."

"네?"

"돌아가신 황후 폐하의 단짝 친구셨습니다."

"아아……."

나는 자연스럽게 맥켈리드 백작부인이 '29년' 동안 황궁을 겪었다고 말했던 걸 떠올렸다. 29년은 레이놀즈가 배 속에 있을 때부터 지금의 나이에 이르기까지의 시간이었다.

'엄마 같은 존재였나 보구나.'

친모에게는 원치 않는 아이였다고 해도 황제의 적장남이었으니 누군가는 정성으로 돌봐야 했을 것이다. 그게 아무래도 맥켈리드 백작부인인 듯했다.

나는 어쩐지 말을 잘못한 기분이 되어서 괜히 눈치가 보였다. 그걸 알아차린 레이놀즈가 소리 없이 웃으며 내게 말했다.

"눈치 보라고 했던 말 아니니까, 표정 풀어."

"제가 언제 눈치를 봤다고……."

하지만 그렇게 말하면서도 나도 모르게 어색한 미소가 지어졌다. 그리고 그 모습을 바라보는 레이놀즈의 입가에도 살포시 미소가 떠올랐다.

"폐하."

그 순간, 바깥에서 애슐리 경의 목소리가 들려왔다.

"무슨 일이지?"

"맥켈리드 백작부인께서 레이디 유리네트를 찾으시는데, 어찌 답할까요?"

"아…… 전 이만 가볼게요."

내가 얼떨결에 자리에서 몸을 일으키자, 우바 티를 홀짝이던 레이놀즈가 내게 말했다.

"그냥 같이 차 마시고 있다고 하면 맥켈리드 백작부인도 이해할 텐데."

못마땅하다는 목소리였다.

"애슐리 경이 눈치가 없군."

어쩐지 애슐리 경을 책망하는 분위기라 나는 빠르게 끼어들었다.

"뭐, 어차피 오늘 제 소임은 다 끝난 것 같아서요. 그리고 공작 전하께서도 와 계시고…… 내일 다시 뵙겠습니다, 폐하."

물론 루퍼트에게도 인사는 빼놓지 않았다.

"만나서 반가웠습니다, 전하."

"저 또한."

나는 이 시점에서 뜬금 맞게도, 루퍼트가 레이놀즈 앞에서 또다시 지난번처럼 손등에 키스하는 건 아닌지 조마조마해졌지만, 다행스럽게도 그런 일은 일어나지 않았다.

나는 속으로 안도의 한숨을 쉬며 허리를 굽혀 인사한 다음 응접실을 빠져나갔다.

◈ ◈ ◈

"……그래서 보고 드린 내용으로 짐작할 때, 롤씨족의 침입은 앞으로도 계속될 것으로 보입니다, 폐하."

유리네트가 나간 응접실에서, 루퍼트는 원래 목적이었던 롤씨족의 행동 양태에 대한 보고를 마쳤다. 보고가 끝난 후에, 그는 레이놀즈의 퍽 심각한 표정을 발견하고선 덧붙였다.

"하지만 너무 걱정하실 필요는 없습니다. 국경 쪽의 수비를 강화하고, 군비도 확장할 예정이니까요."

"난 내 병사들을 믿는다, 루퍼트. 원정을 떠나서까지 악착같이 살아남은 이들이니까."

"그럼……."

다른 이유로 표정이 심각해졌다는 의미였다. 루퍼트가 의아한 얼굴로 레이놀즈를 쳐다보았지만, 그는 이유에 대해서는 답하지 않았다. 루퍼트가 물었다.

"혹 다른 근심이 있으십니까, 폐하?"

"그럴 리가."

그가 고개를 저으며 대답했다.

"날 대신할 훌륭한 아우가 이렇게 있는데, 내가 근심이 있을 이유가 뭐가 있겠나."

그 말에 루퍼트는 머리가 삐쭉 서는 것을 느끼며 다급하게 입을 열었다.

"그런 말씀은 굳이 안 하셔도 됩니다, 폐하."

그 말에, 레이놀즈는 결국 참지 못하고 웃었다.

"넌 너무 신중해. 이상한 뜻으로 말한 게 아닌 걸 알면서. 그렇게 과민하게 반응하지 않아도 된다."

"폐하께서는 그럴 뜻이 없다 하실지라도, 지켜보는 눈들이 있습니다."

"여긴 우리 둘뿐인걸."

"그래서 말씀드리는 건데."

루퍼트가 레이놀즈를 쳐다보며 물었다.

"레이디 유리네트를 시녀로 입궁시킨 까닭이 있으십니까?"

"……무슨 뜻이지?"

"형님께서 미혼의 시녀를 곁에 두지 않으시는 까닭을 알고 있는데, 이번에 예외를 두셨으니까요. 다들 아닌 척하지만, 관심을 기울이고 있답니다."

"루퍼트."

레이놀즈가 나직한 목소리로 동생을 불러 물었다.

"네가 보기엔 내가 왜 그녀를 데려온 것 같으냐."

"……저로서는."

머뭇거리던 루퍼트가 천천히 입을 열었다.

"한 가지 이유밖에는 떠올릴 수가 없군요."

"아마 그 한 가지 이유가 맞을 거야."

레이놀즈는 웃지 않는 얼굴로 동생에게 일렀다.

"그녀는 내게 특별한 사람이다, 루퍼트."

"……."

"그리고 아주 소중해. 넌 똑똑하니 내 말뜻을 알아들었으리라 믿는다."

"……물론입니다, 폐하. 그렇게 여기시는 것이 많이 티가 나더 군요."

"그랬느냐."

"네. 타인에게 그토록 관심을 두신 것은 처음이시잖습니까. 무슨 일을 염려하시는지는 알겠지만, 저도 바보는 아닙니다."

"괜한 걱정 하실 필요, 없다는 말씀입니다."

"그래. 다행이구나."

"그럼 저도 이만 가보겠습니다. 형님 폐하의 시간을 너무 빼앗은 것 같군요."

그 말에, 레이놀즈의 입가에 다시 미소가 떠올랐다.

"그렇게 말하지 않아도 돼. 너와 보내는 시간도 내게는 몹시 소중 하니 말이다."

"그렇게 말씀해 주시니 영광이군요."

자리에서 일어난 루퍼트가 우아하게 허리를 굽혀 레이놀즈에게 인사했다.

"그럼 이만 물러나 보겠습니다. 신의 광영이 모두 폐하께만 닿 기를."

그 인사를 끝으로 레이놀즈는 다시 홀로 남겨졌다.

테이블 위에 놓인, 이제는 온기가 조금만 남아있는 차를 한 모금 씩 마시면서, 그는 알 수 없는 표정으로 무언가를 생각했다.

"티타임은 잘 다녀오셨어요?"

저녁 시간 즈음, 방 안으로 들어서는 내게 에이미가 물어왔다.

나는 고개를 끄덕인 다음 답했다.

"응. 근데 중간에 맥켈리드 백작부인께 다녀왔어."

"아, 네. 맞아요. 아가씨를 찾으시던데, 무슨 일이 있었어요?"

"별건 아니었어. 이전 무도회의 준비 기록을 주시더라고. 한번 살펴보면 도움이 많이 될 거래."

"와, 그 말씀을 들으니 새삼 실감이 나네요."

"뭐가?"

"아가씨가 시녀가 되셨다는 거요. 뭔가 두근두근한데요."

"그렇게 말하니까 내가 무슨 대단한 일이라도 하는 것 같잖아."

"대단한 일 맞아요. 영애께서는 폐하를 모시는 유일한 미혼 여성이시라고요. 자부심을 가지실 만하죠."

"더구나 맥켈리드 백작부인께서 얼마나 까다로우신 분인데요. 그분의 마음에 이렇게 빨리 드셨다는 건 분명 자랑스러워해도 될 일이랍니다."

리셀과 아니스에게서 각각 들려온 말에, 나는 아까 전 티타임에서의 일을 떠올렸다. 29년 동안 황궁에서 일하셨다고 했지.

나는 무심코 물었다.

"맥켈리드 백작부인은 어쩌다 시녀로 일하게 되신 거야?"

"돌아가신 첫 번째 황후 폐하의 단짝 친구셨어요. 그분이 외동이 시라 외로움을 많이 타시고 함께 입궁할 자매도 없으셔서, 백작부 인께서는 결혼하시기도 전에 황후궁의 시녀로 입궁하셨답니다."

"첫 번째 황후 폐하께서 안정된 황궁 생활을 하실 수 있으셨던 건 전부 맥켈리드 백작부인 덕분이라고 들었어요."

"그리고 실제로도 맥켈리드 백작부인이 지금의 폐하를 아들처럼 키우셔서…… 황제 폐하께서도 백작부인 말이라면 꼼짝을 못 하신 다고 알고 있어요."

"그랬구나."

그 말을 들으니 조금이나마 마음이 편해졌다. 그래도 그 사람의 인생에서 빛 한 줄기조차 들지 않았던 건 아니구나, 하는 생각이 들 어서. 그리고 맥켈리드 백작부인에게 고마워졌다. 그 사람이 가지 고 있는 따뜻한 마음은 아마 그녀로부터 기인했을 가능성이 높았 기 때문에.

'……아.'

그러다 문득, 나는 내가 너무나도 자연스럽게 생각을 레이놀즈 에게로 집중했다는 사실을 깨닫고선 조금 놀랐다. 그리고 당황 했다.

'저번부터 진짜 이상하네.'

이상하게 요즘, 레이놀즈만 떠올리면 이런 이상한 기분이 들었다.

말로는 설명할 수 없을 것 같은, 몽글몽글하면서도 꽉 막힌 듯하고, 안절부절못하게 되는 그런 기분.

'……별거 아니겠지.'

나는 대수롭지 않게 그것을 넘겼다. 그리고 그 기묘한 감정이 폭발한 것은, 1달 후 열린 정기 무도회에서였다.

❦ ❦ ❦

그동안 배운 내용을 발판 삼아, 나는 1달 동안 정기 무도회 준비에 성실히 참여했다. 내가 맡게 된 일은 무도회에서의 케이터링을 준비하는 것이었는데, 내 하녀들은 이 사실을 알고 처음부터 중요한 일을 맡았다며 제 일처럼 기뻐했다.

나는 맥켈리드 백작부인의 신뢰를 잃지 않기 위해, 그리고 날 데려온 레이놀즈에게 폐가 가지 않도록 정말로 꼼꼼하고 세심하게 준비를 진행했다. 회사에서 일할 때조차 이렇게 열심히 하지는 않았던 것 같아서 기분이 묘했다.

그리고 마침내 정기 무도회 날이 찾아왔다.

❦ ❦ ❦

따지고 본다면 내게는 오늘 무도회가 데뷔탕트 볼이나 마찬가지였다. 그걸 알았기에 내 하녀들은 내게 이른 점심을 먹이고, 날 단장시키는 데 사력을 다했다.

"영애의 은발에는 푸른색 드레스가 어울려요."

"전 마젠타색 드레스가 더 예쁠 것 같아요."

"맞아요. 눈동자 색과도 딱 맞는걸요."

"그럼 액세서리를 푸른색으로 하면 되죠."

"사파이어로 할까요? 아니면 오팔도 예쁠 것 같아요."

"아콰마린은 어때요?"

"이걸로 한번 걸어보세요, 영애."

……정신이 하나도 없어. 네 명의 목소리가 사방에서 웅웅거리니 머리까지 어지러울 지경이었다. 나는 바비 인형이 된 기분으로 시키는 대로 다 해주었다. 이 목걸이를 걸어 보라고 하면 걸어봤고, 이 드레스를 입어 보라고 하면 입어 봤다. 네 하녀의 목소리가 전부 달라서 한 번씩 바꿔보는 데만 시간이 아주 많이 걸렸다.

그래도 어쨌든, 장장 다섯 시간의 고생 끝에 준비가 끝났다.

"……어머."

그리고 내 모습을 본 리셸의 눈동자가 파르르 떨리기 시작했다.

"너무 아름다우세요, 영애."

나는 그것을 당연하게 인사치레로 받아들였다.

"역시 사람은 옷이 날개네요."

"너무 예뻐요! 오늘 다들 영애에게 반할지도 몰라요."

다른 칭찬들도 전부. 하지만 전신 거울 앞에 가서 섰을 때……

"……오."

나는 그게 완전히 빈말은 아니라는 걸 깨달았다. 물론 내 입으로 말하기는 상당히 쑥스러웠지만.

'……괜찮네.'

나도 모르게 입꼬리가 씩 올라갔다. 감상하듯 내 몸 이곳저곳을 거울에 비추어보니 모양새가 꽤 괜찮았다. 그런 내 모습을 본 패티가 옆에서 물어왔다.

"영애께서 보시기에도 예쁘시죠?"

"……그런 것 같기도 하고."

"겸손하시긴! 남들 앞에서 그러시면 재수 없다 소리 들어요."

패티가 까르르 웃으며 마지막으로 살짝 구겨진 드레스 앞섶을 반듯하게 펴주었다.

"자, 이제 파티의 주인공이 되실 시간이에요."

※ ※ ※

무도회장에 도착했을 때, 나는 모두의 시선이 아닌 척하면서도 내게로 쏠리고 있다는 사실을 깨달았다.

주목받는 게 싫은 건 아니었지만 살짝 부담스러웠다.

나는 동행한 리셸에게 속삭여 물었다.

"왜 다들 날 저렇게 쳐다보는 걸까?"

"첫 번째로 영애는 오늘 데뷔탕트시고요."

리셸은 어렵지 않다는 듯 막힘없이 대답했다.

"두 번째는, 잘 알고 계시겠지만 폐하를 모시는 유일한 미혼 여성 이시니까요."

사실 첫 번째보다는 두 번째 이유에 좀 더 무게감이 쏠렸다. 미혼의 시녀가 단 한 명도 없는 중앙궁에 지방 귀족 출신의 영애가 들어왔으니 관심이 쏠리는 건 당연지사. 어쩌면 쓸데없는 구설수가 날 괴롭힐지도 모르겠다는 불안감이 엄습했다.

'뭐, 설령 그런다고 해도 어쩔 수 없지만.'

그런 거에 딱히 상처 입는 스타일은 아니었다.

'그래도 잘못된 정보가 돌면 바로잡을 거야.'

무도회장 안으로 들어서자 나를 보고 수군거리는 목소리들이 들려왔다. 다행인지 불행인지 모르겠지만 정확히 뭐라고 하는지는 들리지 않았다. 아, 욕은 아니면 좋을 텐데.

"배고프시면 음식을 좀 가져올까요? 이른 점심을 드시고 지금까지 아무것도 안 드셨잖아요."

"지금 뭐 먹으면 배가 나올지도 몰라."

"……아가씨 몸매에 배 좀 나와도 전혀 티 안 나요. 걱정하지 마시고 여기서 기다리고 계세요."

패티가 까르르 웃는 목소리로 내게 말한 다음 핑거링 푸드가 놓여 있는 테이블로 걸어갔다. 나는 기다리는 동안 웨이터에게서 적색의 칵테일을 두 잔 받아든 다음 리셸과 함께 마시기 시작했다.

칵테일 한 모금을 마신 리셸이 내게 말했다.

"아니스 언니와 에이미도 함께 왔으면 좋았을 텐데요."

방을 지킬 사람이 필요한 데다가, 네 사람은 너무 번잡스러워서, 두 사람은 중앙궁에 남게 되었다.

"그러게. 그래도 간만에 휴식이라 좋아할지도 몰라."

"영애께서는 오늘 춤추고 싶은 영식이 있으세요?"

"내가 수도 사교계에서 아는 사람이 어디에 있겠어. 누가 청해 온다면 모를까…… 그냥 가만히 있을 것 같은데."

"네에? 그래도 데뷔탕트신데요. 춤은 추셔야죠."

"어차피 계속 수도에서 지낼 것도 아닌걸."

그 말에, 리셸의 표정이 급격하게 가라앉았다. 만난 지 고작 두 달 남짓한 시간이 들었는데 고새 정이 들었나 보다.

'나도 그렇고, 리셸도 그런가 봐.'

나는 피식 웃으며 리셸에게 말했다.

"영원히 여기 살진 않겠지. 그렇다고 해서 금방 떠난다는 소리는 아니니까 그렇게 죽을상 지을 필요는 없어."

"그 순간을 생각하려니까 벌써부터 눈물이 나려고 해요."

"화장 망친다."

"매정하시기는."

농담조로 툭 말을 내뱉자 샐쭉한 대답이 돌아왔다. 내가 키득키득 웃으며 다시 칵테일 한 모금을 마시는데, 리셸이 다른 말을 건네왔다.

"여기 계속 남아 계실 생각은 없으세요?"

"그럼 여기서 결혼까지 하라는 소리야, 리셸?"

"오늘 누구랑 눈이 맞는다면 가능하지 않을까요?"

"맙소사. 그럴 일은 없을 거야."

"왜요? 영애께서는 연애 소설도 자주 보시면서! 거기서도 그런 상황이 자주 나온다고요."

"소설은 소설이니까. 그런 허무맹랑한 일이 일어날 리가……."

쨍그랑!

그때 근처에서 날카롭게 산산이 조각나는 소리가 들려왔다. 나와 리셸의 고개는 자연스럽게 그쪽으로 돌아갔다. 우리뿐 아니라 근처에 모여 있던 사람들 대부분의 이목 역시 동일한 방향으로 집중되었다.

"무슨 일이지?"

"뭐가 깨졌나 봐요."

나는 눈을 가늘게 뜨며 무슨 일인지 파악하기 위해 애썼다. 그때, 내 시야로 익숙한 분홍 머리카락이 보였다.

"……패티?"

나는 불길한 기운에 드레스 자락을 집어 든 뒤 소리가 난 쪽으로 걸어갔다. 이미 다른 사람들도 관심을 보이며 소리가 난 주변으로 둥글게 원을 만들어 서 있었다.

그쪽으로 가까이 다가가자, 날카롭고 높은 목소리가 들려왔다.

"이게 뭐 하는 짓이야!"

"죄, 죄송합니다!"

"이 드레스가 얼마짜린지 알아? 네년이 평생을 일해도 감히 살 수 없는 드레스라고!"

"죄, 죄송합니다. 정말 죄송합니다!"

패티는, 불쌍하게도 거의 울 것 같은 얼굴로 벌벌 떨면서 잘못을 구하고 있었다. 나는 어두워진 얼굴로 인파를 헤치고 지나가, 패티의 앞까지 도착했다.

울상이 된 얼굴의 패티가 나를 발견하더니 결국 울음을 터뜨렸다.

"여, 영애, 흐엉……!"

"울지 마, 패티."

나는 차분한 목소리로 패티를 달랬다. 그리고 곧바로 옆에서 다시 날카로운 목소리가 들려왔다.

"도대체 아랫것 간수를 어떻게 하는 거죠?"

나는 그제야 고개를 돌려 내게 말한 이의 얼굴을 응시했다. 고급

적포도주를 연상시키는 적금발과 진한 녹색 눈동자를 가진, 화려한 인상의 미인이었다. 그리고 미추와 관계없이 상당히 사나워 보였다. 물론 그건 내가 그녀를 화난 모습으로 가장 먼저 접했기에 그런 느낌을 받은 걸지도 모르겠지만.

"무슨 일이신가요, 영애?"

"영애의 하녀가 조심성 없이 달려가다가 내 드레스에 음식을 엎었어요!"

그 말은 사실이었다. 화를 내는 영애의 초록색 드레스가 붉은 소스와 노란 칵테일로 엉망이 된 채 젖어 있었으니까. 다행스럽게도 드레스의 색이 짙어 크게 티가 나는 정도는 아니었다. 물론 그렇다고 해서 우리 쪽의 잘못이 사그라지는 건 아니었지만.

나는 먼저 사과부터 했다.

"정말 죄송합니다, 영애. 드레스는 변상하겠습니다."

"저런 모자란 걸 하녀로 두다니 영애도 참 불쌍하네요."

그녀가 표독스러운 눈빛으로 패티를 째려보며 말했다.

"하루빨리 버리고 새 하녀를 들이는 게 좋겠어요."

'새 하녀'라는 여자의 말에 나도 모르게 멈칫했다.

'아니, 왜 말을 저따위로 해……?'

나는 조금 건조해진 목소리로 여자에게 말했다.

"송구하지만 영애, 그 부분은 제가 알아서 할 일입니다."

"……뭐라고요?"

"황궁에 소속된 아이라 제 마음대로 처분을 결정할 수도 없고요."

"황궁 소속?"

내 말을 들은 여자의 눈썹이 위로 치켜 올라갔다. 마치 그런 이야기를 들을 줄은 몰랐다는 사람처럼.

"그럼 영애는 지금 황궁 소속의 하녀를 거느리고 있다는 건가요?"

취조하는 듯한 목소리에 조금 당황스러워졌지만, 이내 아무렇지 않게 고개를 끄덕였다.

"네, 뭐."

"아……."

내 대답에, 나를 바라보는 여자의 눈빛이 차가워졌다.

"당신이 바로 그 여자로군요."

그 목소리에서 숨길 수 없는 적의가 느껴져서, 나도 모르게 흠칫 놀랄 수밖에 없었다.

나는 미간을 좁히며 여자를 쳐다보았다. 패티를 노려보던 무서운 눈동자는 어느새 내게로 향하고 있었다. 그리고 그 모습을 본 나는 자연스럽게 그녀가 나를 싫어하고 있다는 걸 깨달았다.

단 한 번도 본 적 없고 이름조차 모르는 여자에게서 이런 혐오하는 감정을 받게 되다니. 참…… 이런 경우는 또 처음이네.

"폐하께서 요양지에서 데려왔다는 그 시골 촌뜨기가."

시, 시골 촌뜨기? 그 모욕적인 표현에 나는 황당한 얼굴로 여자를 쳐다보았다.

"방금 그 말씀은 좀…… 그런데요, 영애."

"뭐가 좀 그렇다는 거죠?"

"절 비하하고 계시잖아요. 저희, 어디서 만난 적이 있던가요? 아니면 제가 영애에게 해를 끼친 적이 있던가요? 전 아무리 떠올려봐도 영애의 얼굴을 본 적조차 없는 것 같은데, 처음 보는 이에게 이런 식으로 무례를 저지르시다니 당황스럽기 짝이 없네요."

"이게 어디서 꼬박꼬박 말대꾸를……!"

말대꾸라니! 야, 너 몇 살이야? 나는 순간 욱해서 여자에게 내뱉었다.

"그러는 영애의 태도는 시정잡배와 크게 다름이 없군요."

"뭐, 뭐라고요?"

"처음 보는 제게 시골 촌뜨기라고 하시지를 않나, 뒤에는 반말까지 하시지를 않나. 스스로를 소개하기도 전에 절 이렇게 모욕하시니, 제가 그렇게 생각할 수밖에 없지 않겠어요?"

"지금 어디서 그런 망발을…… 하. 어쩌다 이런 게 황궁 시녀가 되었는지. 폐하께서 뭐에 홀려도 단단히 홀리신 게 분명해."

"……."

참자, 권유린. 참을 인(忍) 세 번이면 살인도 면한다.

"난 그쪽이 누군지 알아요. 그쪽이 내가 누군지 모를 뿐이지."

그러니까, 너는 내가 누군지 아니까 난 네가 누군지 몰라도 상관없다 이거야……?

내가 황당한 얼굴로 여자를 쳐다보았다. 그러다 더 이상의 언쟁은 감정 소모적이라는 생각이 들어서 속으로 한숨을 쉬고 이만 마무리 짓기로 했다. 똥이 더러워서 피하지 무서워서 피하나.

"어쨌든 드레스값은 반드시 변상해 드리도록 하겠습니다. 그러니……."

"시골에서 왔다고 들었는데, 그럴 만한 여력은 돼요?"

하나.

"……물론입니다, 영애. 황궁에서 지급받는 봉급이 있으니까요."

"그럴 돈이 있으면 드레스에나 좀 더 신경을 쓰셔야 할 것 같은데."

그녀가 내 모습을 위아래로 훑어보더니 비웃는 목소리로 말했다.

"지금 입고 있는 드레스 되게 촌스럽거든요."

둘.

"……그 말씀은 변상해드리지 않아도 된다는 뜻인가요?"

"장난해요? 내가 언제 그런 말을 했어요?"

네가 그럴 돈이 있으면 드레스나 새로 사 입으라며……. 왜 말을 자꾸 바꿔……?

"진짜 머리 나쁜 사람이네? 시골에서 와서 그런가?"

"……."

셋……까지 다 셌는데, 이제 어쩌지?

나는 진심으로 눈앞의 여자를 어떻게 해야 할지 고민하다가, 이내 차분하게 셋을 더 세기로 했다. 아무렴 6번이나 참을 인(忍) 자를 새길 일이 생기겠느냐고 생각하면서.

"영애, 그런 비하적인 표현을 쓰는 것은 영애의 저급한 인격을 드러내는 일밖에는 되지 않는답니다."

"내가 언제 뭘 비하했어요?"

……아냐. 어쩌면 생길지도 몰라. 나는 빠르게 아까의 생각을 수정했다.

"머리 나쁜 사람은 제가 아니라 영애인 것 같네요."

"뭐, 뭐라고요?"

여자가 도끼눈을 뜨고 나를 째려보았고, 나는 슬슬 이 상황에 피로감을 느꼈다.

'딱 보니까 이 여자, 완전체야…….'

그건 내가 아무리 논리적으로 말하며 진정시켜 보려고 해봐야 내 손해고 헛짓거리라는 뜻이었다. 그냥 이 상황을 빨리 뜨는 게 정답이었다.

"이봐요, 사토르디 영애. 폐하를 믿고 나대는 것 같은데, 계속 그렇게 행동하지 않는 게 좋을 거예요. 내가 당신부터 쫓아낼 거니까!"

다행스럽게도 똥은 내가 피하기도 전에 스스로 자취를 감추는 걸 택했다. 그 말만 내뱉고 씩씩거리며 내게서 등을 돌렸으니까. 그리고 그녀가 떠나가자마자, 나는 재빨리 패티의 상태부터 살폈다.

"패티, 괜찮아?"

"죄, 죄송해요, 영애. 저 때문에 영애께서 괜히 모욕을……."

"모욕은 무슨. 그냥 들었을 때 웃기기만 하더라."

물론 그거랑 별개로 상당히 짜증 나긴 했지만, 그래도 모욕적이라는 생각은 안 들었다. 나는 패티를 토닥이다가, 이내 눈을 가늘게 뜨며 물었다.

"그보다, 도대체 아까 그 무례한 인간은 누구야?"

"메리언 비쥬 생 무디어스예요. 무디어스 공작님의 외동딸이죠."

리셸이 빠르게 대답했다. 마치 내가 메리언과 언쟁할 때부터 대답을 준비한 사람처럼.

"하나뿐인 공녀라서, 무디어스 공작님이 아주 애지중지 키우신 걸로 알아요."

답이 나왔다. 그래서 저렇게 위아래도 없고 버르장머리가 없었던 것이로구만.

"얼굴은 예쁜데 하는 행동은 영 별로야."

"사실 얼굴도 영애께서 훨씬 더 예쁘세요. 드레스도요! 도대체 뭐가 촌스럽다는 건지. 자기는 무슨 잔디 같은 드레스나 입고 왔으면서!"

씩씩대던 리셸이 이내 깜빡하고 있었다는 듯 한마디를 더 덧붙였다.

"아, 그리고 지금 귀족들이 강력하게 차기 황후로 밀고 있는 후보들 중 한 명이에요."

그리고 그 말을 듣는 순간, 나는 멈칫할 수밖에 없었다.

"……황후 후보?"

"네. 귀족들이 요즘 황후 책립을 강력하게 건의하고 있다는 소리는 들으셨죠? 특히 무디어스 공녀가 아주 유력한 후보예요. 아무래도 형제가 없다는 점이 긍정적으로 작용한 것 같아요."

"그래서 나한테 그렇게 까칠하게 굴었던 건가?"

나는 마지막에 메리언이 내게 소리쳤던 말을 기억해 냈다.

'내가 당신부터 쫓아낼 거니까!'

그게 '황후가 되면' 나부터 쫓아내겠다는 소리였나. 나는 떨떠름한 표정을 지었다.

"그럴지도요. 영애께서 폐하를 홀려서 입궁했다고 생각하고 있을지도 몰라요."

만약 그렇다면 정말 억울한데. 굳이 따지자면, 나는 레이놀즈에게 홀려서 입궁한 사람이니까.

"……진실을 모르니까 저런 착각을 하는 거겠지."

"네?"

"아무것도 아니야. 그냥 신경 꺼야겠어. 피곤한 사람 같아."

"성격이 좀…… 드세다고는 들었어요. 여기서 아무도 저분을 못 이길걸요? 워낙 막무가내라."

확실히 그런 것 같았다. 나는 피식 웃으며 중얼거렸다.

"저런 어린애 이겨봐야 뭐하게."

"어린애는 아니에요. 영애와 동갑이시거든요."

그래도 어린애였다. 원래의 나는 30대였으니까. 루퍼트도 어린 애로 보이는데 메리언은 더 어린애로 보였다.

"하는 짓은 완전 어린애인걸. 시골에서 와서 머리가 나쁘다고?"

"잊어버리세요, 영애."

"그런 말을 아무렇지 않게 하다니. 정말 제정신이 아니라니까?"

그리고 내가 보기에 메리언은 '수도가 아니면 다 시골'이라고 생각하는 것 같기도 했다. 확실한 건 아니지만 그 짧은 시간 그녀를 겪어본 바에 의하면 그런 결론이 나온달까.

"무엇 때문에 이렇게 화가 나셨습니까."

그리고 그 순간, 흥분한 내 뒤로 익숙한 목소리가 들려왔다. 멍한 얼굴로 뒤를 돌자, 평소보다 더 멀끔하게 차려입은 루퍼트의 모습이 눈에 들어왔다.

"아, 러셀 공작 전하."

"오랜만에 뵙습니다, 레이디 유리네트."

그 말과 함께 루퍼트가 내 손등 위에 입을 맞추었다. 무도회장 안이라 그런지 처음 그에게 손등 키스를 받았을 때보다 이 상황이 더 자연스럽게 느껴졌다. 나는 빙긋 웃으며 그에게 물었다.

"지금 오셨나요?"

"네. 방금 도착했습니다. 좀 늦었지요."

"아녜요. 오늘 참 멋지시네요."

"감사합니다, 레이디 유리네트. 영애께서도 아름다우십니다."

그가 빙긋 웃으며 말을 이었다.

"영애께서는 이번 무도회가 데뷔탕트 볼이시지요? 오늘 이곳에 있는 그 어떤 데뷔탕트들보다 빛나십니다."

"과찬이세요, 전하. 다른 분들이 들으면 화를 내실지도 몰라요."

그 말에 낮게 웃던 루퍼트가 어느 순간 화제를 돌렸다.

"그보다 아까는 왜 그렇게 화를 내셨습니까?"

"아……."

나는 머쓱한 표정을 지은 채 곧바로 대답하지 못했다.

'지금 도착했으면 메리언과 있었던 일은 모르겠구나.'

나는 아까 있었던 일을 루퍼트에게 설명했고, 설명을 다 들은 루퍼트는 그저 놀랍다는 표정만 지었다. 어떻게 그런 일이 있을 수 있느냐는 투로.

"몹시 불쾌하셨겠군요."

"정말 그랬답니다. 말도 안 통하고, 답답했어요."

"그래도 잘 참으셨습니다. 무디어스 공녀는 원래 불같은 성격으로 유명하지요. 당해낼 사람이 아무도 없는 것으로 악명 높답니다."

"그래도 한 명 정도는 당해낼 수 있을 것 같은데요."

"네? 그게 누굽니까?"

나는 잠시 생각하는 표정을 짓다 입을 열었다.

"……황제 폐하?"

내 대답을 들은 루퍼트는 순간 멍한 표정을 지었다가, 빠르게 정신을 차리고 입을 열었다.

"당연히 그분 앞에서는 누구라도 몸 사리지 않을 수 없지요."

"뭐, 그런 의미도 있지만."

나는 어깨를 으쓱이며 덧붙였다.

"무디어스 공녀가 유력한 황후 후보라고 들었어요. 그러니 미래의 남편 될 이에게 잘 보이기 위해서라도 그 성질을 누그러뜨리겠지요."

"하지만 유감스럽게도 폐하께서는……."

그러다 문득, 루퍼트는 말을 하다 말고 입을 다물었다. 갑자기 말이 뚝 끊기자, 내가 의아한 얼굴로 루퍼트에게 물었다.

"폐하께서는…… 뭐요?"

"……아무것도 아닙니다. 그보다 춤을 출 상대는 결정하셨습니까?"

갑자기 말을 돌리려는 게 영 수상쩍긴 했지만, 나는 더 캐묻지는 않았다.

"아뇨, 아직. 사실 별생각이 없어요."

"네? 어째서……."

"제가 퀴른의 사교계에서 계속 활동할 게 아니니까요. 시녀로 있는 동안만 잠깐 참석하는 거고……."

"그 잠깐을 위해서라도 성공적인 데뷔탕트 데뷔는 필요하지요."

루퍼트는 그렇게 말하더니 돌연 내 앞에 한쪽 무릎을 꿇고 앉았다. 내가 당황한 얼굴로 그를 쳐다보는데, 그가 나를 올려다보며 물어왔다.

"한 곡 출 수 있는 영광을 주시겠습니까?"

"……."

솔……직히 손발이 오그라드는 듯했지만, 파티니까 나쁘지 않다고 생각하면서 나는 고개를 끄덕였다. 더구나 남동생처럼 느껴지는 루퍼트에게 이런 춤 신청이라니. 나도 모르게 웃음이 나왔다.

"좋아요."

어쨌든, 나는 루퍼트의 춤 신청을 받아들였다.

༄ ༄ ༄

한편, 자신이 평소 어울려 다니는 영애들과 모인 메리언은 갖은 짜증을 내며 유리네트를 욕하는 중이었다.

"정말 짜증 나는 여자야. 나한테 꼬박꼬박 말대꾸하는 거 봤어요, 다들?"

"봤답니다, 레이디 메리언. 그 자리에서 얼마나 화가 나셨어요?"

"정말 제가 나서고 싶은 걸 겨우 참았답니다."

사교계에서 이루어지는 대부분의 관계가 그러하듯, 메리언과 그 지인들의 관계 역시 썩 진심이 담겨 있다거나 공고한 관계는 아니었다. 그들은 그저 유력한 차기 황후로 거론되는 메리언과, 그 아버지인 무디어스 공작의 비위를 맞추기 위해 영혼 없는 얼굴로 메리언을 달래고 있었다.

"뭘 그렇게 신경 쓰시나요, 레이디 메리언? 어차피 황후의 관은 공녀의 것이에요. 폐하께서 그 여자의 어디에 홀려 시녀로까지 들이신 건지는 모르겠지만, 다 일시적인 것이랍니다."

"맞아요. 어차피 폐하의 옆자리는 공녀의 차지인걸요. 사토르디 영애는 기껏 해봐야 폐하의 정부라는 위치에나 머물겠지요."

하지만 영애들의 달래는 말에도, 메리언은 여전히 화가 풀리지 않은 것처럼 보였다. 그녀가 억울하다는 투로 목소리를 높였다.

"폐하의 옆에 설 수 있는 건 오직 나뿐이에요. 내가 얼마나 오랫동안 황후의 자리를 갈망해 왔는데……!"

"넌 꼭 황후가 되어야만 한단다. 그래서 우리 가문의 위상을 높여야 해."

"제국의 다음 황후는 너야, 메리언. 넌 황후궁의 주인이 될 거란다."

"모두가 네 발밑에 엎드려 충성을 맹세하는 거야. 생각만 해도 멋지지 않니?"

이것은 메리언이 아주 어릴 적부터 들어온 말이었다. 자연스럽게 메리언은 레이놀즈와의 결혼을 꿈꾸었다.

물론 선황제는 단 한 번도 메리언을 황태자비나, 혹은 다음 대의 황후로 내정한 적이 없었다. 그럼에도 어린 시절부터 아버지로부터 이런 말들을 끊임없이 들어온 메리언은 아주 당연하게 자신의 결혼 상대가 레이놀즈라고 믿어 버리게 된 것이다.

하지만 레이놀즈는 어릴 적부터 차가운 성격의 소유자였고, 여자에게 곁을 내주는 일이 없었다. 심지어 레이놀즈가 즉위 후 툭하면 전장을 나도는 바람에 메리언은 '자신의 남편이 될' 남자의 얼굴조차 보는 일이 힘들어졌다.

그래서 어쩌다 레이놀즈가 황궁에서 열리는 연회에 참석하기라도 하면 기를 쓰고 그와 춤을 추기 위해 달려들었다. 유감스럽게도, 그 시도가 먹힌 적은 지금까지 단 한 번도 없었지만.

그래도 메리언은 상관없다고 여겼다. 왜냐하면 레이놀즈가 자신은 물론이고 그 어떤 여자에게도 관심을 준 적이 없다는 사실을 잘 알고 있었기 때문이었다. 황궁에서 일하는 사람들에게 돈을 주고 알아낸 정보이니 확실할 것이었다.

그리고 굳이 그런 정보가 아니더라도, 황궁에서 시녀로 일하는 미혼 여성이 없다는 사실이 그것을 깔끔하게 증명해 주었다. 어쨌든 레이놀즈의 결백한 여자관계가 그나마 메리언에게 위안이 되어 주었던 것이다.

"어디서 굴러먹다 왔는지도 모를 계집이……!"

그러니 갑자기 나타나 단번에 레이놀즈의 시녀 자리를 꿰찬 유리네트가 메리언의 눈에 곱게 보일 리 없었다. 그녀에게 유리네트는 이미 레이놀즈를 유혹해 감히 '자신이 예정되어 있던' 황후의 자리를 넘보는 여자나 다름없었으니까. 경쟁자도 아니었다. 메리언은 유리네트가 감히 그럴 주제도 못 된다고 생각했으니까.

……물론 이 모든 것은 유리네트가 듣는다면 기가 막혀서 뒤로 넘어갈 생각이었고, 레이놀즈는 메리언을 미쳤다고 여길 테지만. 사실 모든 잘못은 너무 어릴 때부터 잘못된 생각을 세뇌하듯 주입한 무디어스 공작에게 있다고 봐도 무방했다.

"너무 열 내지 마세요, 레이디 메리언. 어차피 귀족들이 지금 폐하께 황후 책립을 서두르라고 말씀드리고 있다면서요? 곧 황후가 되실 텐데 그런 사소한 일에 신경 쓰실 필요 없으세요."

"그 여자가 내가 황후가 된 뒤에도 폐하의 옆에 붙어 있으려 하면 어쩌죠?"

"그럼 그때 가서 그 여자를 쫓아내면 되지요. 그때는 어엿한 황후

폐하신데요. 내궁을 관할하는 건 황후의 소관인데, 뭘 두려워하시
나요?"

다른 영애들의 위로에 메리언은 차차 마음이 풀어지기 시작했
다. 그녀는 생각보다 단순한 사람이었다. 한층 마음에 안정을 찾은
메리언이 드디어 화를 내는 대신 미소를 지었고, 그 모습을 보는 주
변 사람들도 마음에 안정을 얻었다. 메리언이 화를 내며 내지르는
날카로운 목소리가 귀에 상당한 피로감을 불러일으켰기 때문이었
다. 물론 그 사실을 입 밖에 내는 사람은 아무도 없었지만.

"아!"

그때, 메리언의 시야로 누군가가 들어왔다. 그녀가 탄성을 지르
자, 옆에 있던 영애 하나가 궁금하다는 목소리로 물었다.

"왜 그러세요, 레이디 메리언?"

"저기 폐하께서 계세요."

신이 난 목소리로 대답한 메리언은 혹시라도 레이놀즈를 놓칠세
라 빠르게 그가 있는 쪽으로 걸음을 옮겼다. 그리고 그의 지척에까
지 다가섰을 때 그를 불렀다.

"폐하!"

자신을 부르는 소리에 레이놀즈는 반사적으로 뒤를 돌아보았다.
그리고 보게 된 얼굴에 저도 모르게 얼굴을 찌푸렸다.

'……또 무디어스 공녀인가.'

당연히, 레이놀즈 역시 이런 메리언을 잘 알고 있었다. 그를 가장

귀찮게 만드는 사람 중 한 명이었다. 심지어 제 아비인 무디어스 공작보다 더 막무가내이기까지 해서, 레이놀즈는 가끔 메리언을 무디어스 공작보다 더 끔찍해 했다.

그가 속으로 한숨을 쉰 다음 성의 없이 물었다.

"무슨 일이지, 무디어스 공녀?"

"세상에, 절 기억하고 계셨군요!"

메리언이 뛸 듯이 기뻐했고, 레이놀즈는 어이없어 했다. 그 긴 시간 동안 메리언이 제게 존재를 알리기 위해 했던 노력을 상기한다면, 자신이 그녀가 누구인지 기억하지 못하는 것이야말로 더 큰 문제일 것이다. 자신이 바보라는 소리일 테니까.

유감스럽게도 레이놀즈는 메리언의 이름까지는 알지 못했다. 하지만 굳이 그 말은 하지 않았다. 언급하면 또 귀찮은 상황에 연루될 게 뻔했기 때문이었다. 대신 곧바로 질문했다.

"무슨 일이지, 무디어스 공녀?"

아까와 동일한 질문이었다. 메리언은 입가에 미소를 띤 채 레이놀즈에게 물었다.

"저와 한 곡 춰주실 수 있으실까요?"

그리고 아주 오랫동안 들어왔던 동일한 질문이 들려왔다. 레이놀즈는 습관적으로 그녀의 제안을 거절하려고 했다. 바로 그 순간, 레이놀즈의 시야로 믿을 수 없는 광경이 들어왔다.

'……뭐야.'

그의 주인과 이복동생이 함께 춤을 추고 있었던 것이다.

레이놀즈는 처음에 눈을 의심했다. 하지만 아무리 봐도 지금 무도회장에서 춤을 추고 있는 모습은 그 두 사람이었다.

레이놀즈의 표정이 빠르게 굳어졌고, 메리언은 그의 표정을 보고 무슨 일이 생겼나 궁금해졌다. 그녀가 레이놀즈의 시선을 따라 고개를 돌리려던 순간이었다.

"좋아."

들려오는 대답에 메리언은 빠르게 시선을 레이놀즈에게로 집중시켰다. 믿을 수가 없었다. 그녀는 단 한 번도 그와 춤을 추는 영광을 하사받지 못했기 때문이었다.

메리언이 제가 청해 놓고도 대답이 믿기지 않는다는 표정을 짓자, 레이놀즈가 시린 미소를 지은 채 물었다.

"왜. 그새 마음이 바뀌었나?"

"아, 아닙니다, 폐하."

메리언은 혹시라도 황제의 마음이 바뀔까 봐 재빨리 대답했다.

"그럴 리가요. 영광입니다!"

메리언은 '이게 웬 횡재냐'라고 생각하면서, 10년 넘게 동일한 입장을 고수해왔던 그가 갑자기 태도를 바꾼 이유에 대해서는 별로 관심을 두지 않았다.

❧ ❧ ❧

"생각보다 잘 추시는군요."

위에서 들려오는 목소리에 나도 모르게 고개가 올라갔다. 우아한 미소를 띤 루퍼트가 내게 속삭이듯 말하고 있었다.

"못 추신다는 말씀은 역시 겸손이었나 봅니다."

"겸손이 아니라 사실이었어요."

나는 전혀 아니라는 목소리로 답했다.

"전하께서 훌륭하게 절 리드해 주고 계시기 때문이랍니다."

"끝까지 겸손하시긴."

그가 나를 장난스럽게 흘겨보았고, 나는 피식 웃었다. 고교 시절 교양으로 왈츠를 배운 적은 있었다. 그걸 십수 년이 지난 지금 이런 식으로 써먹게 될 줄은 몰랐지만.

"오늘 영애께서도 무도회 준비에 공을 들이셨다지요?"

"네, 전하."

"케이터링을 담당하셨다고 들었는데, 그래서 사실은 오자마자 그것부터 확인했답니다."

"앗, 정말요?"

그 말이 이상하게 부끄럽게 느껴졌다. 선생님께 숙제 검사받는 학생이 된 기분이랄까.

"어떻게, 만족하셨나요?"

"물론입니다. 처음이라고는 믿을 수 없을 정도로 세심하게 준비하셨더군요. 속으로 많이 놀랐답니다."

"……절 겸손하다고 평하셨는데, 제가 보기에 전하께서는 칭찬이 너무 헤프세요."

"그런 말은 살면서 들은 적이 없습니다, 영애."

그가 절대 아니라는 듯 고개를 저었다.

"칭찬이 박하다는 말은 들었지만요."

"……?"

절대 '박한' 수준은 아니었다. 차라리 레이놀즈가 그런다면 모를까.

"그보다 황궁 생활은 좀 어떠십니까."

어린이집 선생님이 물어오듯 다정하게 물어오는 물음에, 나는 깊은 생각을 하지 않고 답했다.

"좋아요. 생각했던 것보다 더 바쁘고요."

"이런, 한가한 걸 기대하셨나보군요."

"그렇다기보다는, 공부에 일까지 하려니 정신이 없네요."

나는 머쓱하게 웃으며 대답했다.

"시간이 지나면 적응되겠죠."

"그리고 적응될 때 즈음 떠나실 건가요?"

그 말에 내가 놀라서 루퍼트를 쳐다보자, 그가 빠르게 대답했다.

"농담입니다. 진담으로 받아들이실 줄은 몰랐네요."

"음……. 떠나는 것에 대해서는 아직 생각해본 적이 없어요."

나는 고개를 절레절레 저으며 덧붙였다.

"전 아직 여기 온 지 몇 개월 안 됐는걸요. 정말 못해도 반년은 있어야 하지 않을까……."

"반년은 너무 짧습니다."

"그럼 1년은요?"

"1년도요."

그가 나와 지그시 눈을 맞춰오며 말했다.

"가급적 오래 계셔 주시기를 바랍니다. 물론 이곳에 정착하신다면 더 좋고요."

"음……."

그 말에서 평소와는 다르게 묘한 감정이 느껴져서, 나도 모르게 살짝 당황한 목소리로 물었다.

"왜요?"

"영애께서 황궁에 계신 모습을 보는 게 즐겁거든요."

"제가요?"

"네. 황궁에 생기를 불어 넣어주시는 느낌입니다."

그 말에 나는 더 당황해서 말했다.

"전 특별히 그런 적이 없는 것 같은데……."

"그냥 존재 자체만으로도 생기를 돌게 해주시는 분이시죠."

"……과찬이시네요."

이런 걸로도 칭찬하는 사람이 칭찬이 박하긴 무슨. 말도 안 돼.

"그래서 오래 계셔 주셨으면 하는 바람입니다."

"그래도 정착은 말도 안 돼요. 제가 이곳에서 결혼을 하지 않는 이상은……."

"수도의 남자는 싫으십니까?"

훅 들어온 질문에 나는 당황했다. '수도의 남자'라니.

"그렇게 질문하시면 제가 어떻게 대답을 하겠어요. 너무 막연해요."

"아."

그가 설명이 불친절했다고 느꼈는지 부연했다.

"이곳에서 결혼하시는 건 별로라고 생각하시는지 여쭌 겁니다."

"뭐……."

나는 잠시 고민하다 입을 열었다.

"인연이 있으면 결혼을 할 수도 있겠죠. 아직까지 보이지는 않지만……."

나는 배시시 웃으며 말을 맺었다.

"어쨌든 바로 떠날 건 아니니까, 그렇게 불안해하지 않으셔도 된답니다."

"그럼 전 영애의 말만 믿고 있겠습니다."

"네, 걱정……."

그리고 루퍼트가 내 허리에 손을 얹은 뒤 몸을 빙글 돌리던 순간이었다. 순식간에 뒤바뀐 시야로, 생각지 못했던 인물들이 들어왔다. 레이놀즈가 메리언과 춤을 추고 있었다.

나는 순간 입술이 뻣뻣하게 굳은 사람처럼 아무 말도 하지 못했고, 그 바람에 하려던 말이 자연스럽게 끊겼다. 루퍼트는 이것을 알아차리고 내게 물어왔다.

"왜 그러십니까, 영애."

그 목소리마저 내 정신을 완전히 깨워주지는 못했다. 마치 무언가에 단단히 홀린 것처럼 나는 두 사람에게서 시선을 떼지 못했고, 입술만 겨우 움직여 성의 없는 대답을 했다.

"……아무것도 아니에요."

하지만 누가 들어도 '아무것도 아닌' 목소리는 아니었을 것이다.

루퍼트는 그런 내 행동에 더 이상함을 느끼고 행동반경을 넓혀 내가 보던 것을 보았다. 그 바람에 두 사람의 모습은 이제 나의 시야에서 그의 시야로 옮겨갔다. 루퍼트는 그제야 내 행동이 이상해진 이유를 깨달았다는 표정을 지었다.

"무디어스 공녀와 형님 폐하로군요."

"……네. 그렇네요."

대답하는 목소리에 힘이 없었다. 그런 나를 지그시 바라보던 루퍼트가 물었다.

"폐하를 좋아하십니까?"

루퍼트가 내게 그런 질문을 해올 줄은 몰랐기에, 나는 그 순간 심히 당황했다. 어벙해진 얼굴로 그를 쳐다보았지만, 농담은 아닌 듯한 눈빛이었다. 그래서 내가 대신 농담이냐는 눈빛으로 물었다.

"농담이시죠?"

"아뇨. 진담입니다."

대답에서 구멍이 안 보였다. 나는 그 순간 너무 당황한 나머지 스텝이 꼬여버렸고, 자연스럽게 넘어질 뻔했다.

"아⋯⋯!"

하지만 바로 그 순간, 루퍼트가 내 허리를 단단히 붙잡아 주었다. 덕분에 그런 불상사는 생기지 않았지만, 놀란 감정은 여전했다.

나는 커진 눈으로 루퍼트를 바라보았다. 진지한 표정에은 웃음기가 없었다.

"그런⋯⋯ 질문을 들을 줄은 몰랐네요."

천천히 몸을 일으키면서, 나는 떨리는 목소리로 중얼거렸다.

"그것도 공작 전하께 말입니다."

"곤란한 질문이었다면 죄송합니다."

"그런 게 아니라⋯⋯."

순간 말문이 턱 막혔다. 그냥 그 질문에 그냥 '아니다'라고 대답하면 될 일이다. 왜 군이 이렇게 질질 끄는 건지⋯⋯. 스스로가 이해되지 않아서 답답해졌다.

우리 사이에 침묵이 감돌기 시작했지만, 루퍼트는 그것을 이상하게 여기기보다는 무언가 의미심장한 눈빛을 하고 있었다.

"바로 대답이 나오지 않으시는 걸 보면. 마음이 아예 없으신 건 아닌 모양이군요."

"……그저 충심입니다, 전하."

"그런가요?"

물어오는 목소리에서 별로 믿지 않는 것 같은 투가 느껴져서, 나도 모르게 입술을 깨물었다. 홀의 중간에서 춤을 추지 않은 채 가만히 서 있는 우리 둘을 주변 사람들이 이상하게 보기 시작했고, 어쩌면 레이놀즈도 그 모습을 발견했을지도 모르겠지만, 그때의 나는 그런 것까지 생각할 정도로 여유 있는 상태가 아니었다.

"대답을 그리하신다면, 믿겠습니다."

"설령 아니라면 폐하께 말씀드려 절 사토르디로 돌려보내기라도 하실 생각이신가요?"

"절대 아닙니다, 레이디 유리네트. 제 질문이 오해를 산 모양이군요. 아까도 말씀드렸지만, 전 영애께서 모쪼록 이곳에 오래 남아 주시기를 바라는 사람입니다. 그럴 리 없잖습니까."

그가 차분하게 나를 달랬다.

"그저 궁금하여 여쭌 것이었습니다. 불쾌했다면 사과드리지요."

"……아닙니다, 전하. 제가 민감하게 받아들였네요."

하지만 사실, 충분히 웃으며 아무렇지 않게 넘어갈 수 있는 질문이었다. 그걸 알고 있어서, 나는 스스로를 더 이해할 수 없었다.

7

Deal

❋

루퍼트와 춤을 춘 후에 나는 방으로 돌아와 버렸다. 오늘은 나름 내 데뷔탕트 볼이었지만, 루퍼트의 그 질문을 들은 뒤로 도무지 무도회에 집중할 수가 없었다. 그리고 무도회에서 돌아온 뒤 내 기분이 좋지 않음을 눈치챈 에이미가 조심스럽게 물어왔다.

"왜 이렇게 일찍 오셨어요, 아가씨? 혹시 무슨 일이 있으셨어요?"

여기에 사실대로 말하기도 참 멋쩍은 일이다. 나는 어색하게 웃으며 고개를 저었다.

"아냐. 일은 무슨."

"리셸에게 듣기로 공작 전하와 춤도 함께 추셨다면서요. 그래서 전 즐거운 시간 보내신 줄 알았는데……."

"즐거운 시간 보냈어. 중간에 좀 마찰이 있긴 했지만."

"아……. 그 무디어스 공녀라는 분과요?"

"응. 패티가 많이 놀랐지."

"그것 때문에 기분이 상하신 건가요?"

"……"

그건 아니었다. 물론 기분이 상하긴 했지만, 그게 무도회를 도중 중단하고 방으로 돌아올 만큼은 아니라는 말이었다. 내가 대답하지 못하자, 에이미는 다른 이유가 있다는 걸 눈치챈 듯했다.

"제게 말씀해 주세요, 아가씨. 저와 비밀을 만들 셈이신가요?"

"에이미, 내가 아무래도……."

충동적으로 입을 열었지만, 말을 잇는 건 그다음의 문제였다. 거기에서 말이 뚝 끊기자, 에이미가 인내심 있게 내가 더 말하기를 기다려 주었다. 하지만 아무리 노력해도 말이 더 나오지 않았다.

무언가가 내 혀를 잡아당겨서 말하는 걸 방해하는 것 같았다.

"……다음에 꼭 말할게."

차마 말할 수가 없었다. 실은 레이놀즈가 나를 좋아한다고. 그리고 나는 그의 고백을 거절했고, 그에 대한 감정은 오로지 충심뿐이라고 대답했다고. 그러니 이제 와서 나의 마음이 바뀌었다는 걸 알게 되었다 한들, 아니 어쩌면 원래부터 이런 마음이었다고 한들 말을 바꿀 수는 없다고. 나는 이미 그와 시작하지 않을 것을 못 박았고, 냉정하게 생각해도 그게 맞는 것이기 때문에.

"지금은 머리가 너무 복잡해."

"입궁하신 이후로 근심이 늘어나신 것 같아요."

에이미가 걱정스럽게 말해왔다.

"황궁 생활이 많이 힘드신 건가요?"

"아냐."

다만 점점 확실해지고 있었을 뿐이다. 내가 레이놀즈에게 했던 대답이, 실은 거짓말이었다는 걸.

꽃 꽃 꽃

무도회 다음 날, 나는 어김없이 맥켈리드 백작부인의 수업을 받게 되었다.

"거듭 말하는 것이지만, 정말 잘해주었어요, 레이디 유리네트."

수업이 끝날 때 즈음 백작부인이 어제의 이야기를 꺼냈고, 나는 머쓱하게 웃었다.

"칭찬 감사합니다, 맥켈리드 백작부인. 전부 부인의 가르침 덕이지요."

"난 그렇게 생각하지 않아요. 영애가 잘해준 것이지요."

그녀가 빙긋 웃으며 내게 말했다.

"그래서 말인데, 건국제 준비에도 참여해 보는 건 어때요?"

"건국제 준비요……?"

잘은 모르지만 정기 무도회보다 훨씬 더 규모가 큰 행사라는 것만은 확실했다. 나는 어안이 벙벙해진 얼굴로 그녀에게 말했다.

"너무 부담스러운데……. 제가 과연 잘할 수 있을까요?"

"무도회 케이터링도 잘 준비해 주었는걸요. 난 영애를 믿어요."

"하지만……."

"부담스러운 일을 시키지는 않을 거예요. 해보지 않을래요?"

이렇게까지 말하는데 거절하기가 어려워서, 나는 결국 고개를 끄덕였다.

"네. 해보겠습니다, 부인."

"잘 생각했어요. 앞으로 다양한 행사를 준비하다 보면 분명 지금보다 한층 성장할 수 있을 거예요."

"이번 무도회 준비만으로도 벌써 그렇게 된 느낌이에요."

그렇게 말하면서 배시시 웃자, 맥켈리드 백작부인이 나를 지그시 쳐다보았다. 나는 혹시 말실수를 한 게 있나 싶어 내가 했던 말들을 되짚어 보았지만, 딱히 그럴 만한 것은 없었다.

그때 맥켈리드 백작부인이 생각지도 못한 이야기를 꺼내왔다.

"요즘 폐하와 매일 티타임을 가진다고 들었어요."

"아……. 네."

나는 어색하게 웃으며 고개를 끄덕였다. 어제의 여파인지 레이놀즈 이야기를 듣는 게 영 불편했다.

"사실 영애에게 꼭 고맙다는 말을 전하고 싶었어요."

"제게요?"

"네."

맥켈리드 백작부인이 온화한 미소로 고개를 끄덕였다.

"아는지 모르겠지만, 나는 폐하께서 태어나실 때부터 그분 곁을 지켰답니다."

나는 고개를 끄덕이며 대꾸했다.

"네, 부인. 들었습니다."

"그리고 음…… 폐하를 정말 내 자식처럼 돌봤어요. 이런 표현은 불경할지도 모르겠지만요. 내 자식보다 더 관심을 두고 키웠으니, 실은 내 자식보다 더 자식처럼 키운 셈이지요."

"……."

"그래도 내가 해드릴 수 있는 건 한계가 있더군요. 아주 어린 시절부터 그분의 마음은 텅 비어 있었으니까요. 그게 안타까웠지만, 어쩔 수 없었어요."

"……그랬군요."

"그런데 요양을 다녀오신 뒤로 뭔가 좀 달라지신 기분이랍니다."

"폐하께서요?"

"네."

맥켈리드 백작부인의 미소가 더 짙어졌다.

"한결 편안해지시고, 여유로워지시고…… 그리고 무엇보다 마음이 꽉 채워지신 느낌이에요."

"그걸…… 그냥 아신다고요?"

내가 보기엔 별다른 점이 없는데? 내가 의아한 목소리로 묻자,

맥켈리드 백작부인이 낮게 웃었다.

"오랫동안 봐왔으니까요. 태어날 때부터 봬왔으니, 그 정도 변화
는 금세 알아차릴 수 있답니다."

"그렇군요……."

"나는 그게 다 영애의 덕분이라고 생각하고 있어요. 사실 영애를
황궁으로 데려오신 것 자체가 그 증거지요."

"……그냥, 요양을 다녀오신 덕에 잠시 그러신 것일 수도 있어요.
저 때문이 아니라요."

"하지만 내 눈에 영애는 정말 아름답고 사랑스러운 사람이에요.
나는 영애가 폐하의 그런 변화에 크게 기여했다고 믿고 있어요."

"……감사합니다, 맥켈리드 백작부인."

나는 씁쓸한 목소리로 중얼거렸다. 사실 내가 이런 말을 들을 자
격이 있는지 모르겠다. 지금까지 그에게 준 상처만 해도 헤아릴 수
가 없는데.

"모쪼록 폐하께서 행복해지셨으면 하는 바람이에요."

내 말에 맥켈리드 백작부인이 나를 지그시 응시하며 말했다.

"그래서 나도 폐하께서 얼른 가정을 꾸리시기를 바라고 있어요."

나는 천천히 고개를 들어 올려 백작부인을 쳐다보았다. 여전히
미소 짓는 표정이었다.

"그럼 좀 더 마음이 안정되시지 않을까 기대하고 있답니다."

"귀족들이 황후 책립을 밀어붙이고 있다고는 들었습니다."

"네. 아마 곧 황후궁에 새 주인이 생기게 될 거예요. 기대하고 있답니다."

"무디어스 공녀가 유력하다고 들었는데요."

"으음, 네."

맥켈리드 백작부인의 얼굴이 조금 떨떠름하게 변했다.

"사실 우리끼리 이야기지만, 난 무디어스 공녀가 그리 마음에 들지 않는답니다."

"네? 어째서……."

"인상이 별로예요."

여기도 관상 같은 게 있나……? 순간 당황스러워졌다. 하지만 인상이 별로라는 백작부인의 말에는 나도 동의하는 바였다. 눈빛이 너무 사납달까.

"뭐, 물론 폐하께서 제 의견을 듣고 황후를 들이시진 않으실 테지만요. 워낙 고집이 세신 분이라."

"……."

"어쨌든 폐하께서는 황후 책립에 너무 관심이 없으셔서 걱정이랍니다."

"좋은 분과 결혼하시게 될 거예요."

나는 빙긋 웃으며 기계적으로 입을 놀렸다.

"좋으신 분이니까요."

"폐하를 그렇게 평하는 분은 아마 영애가 유일할 거예요."

백작부인이 헛숨을 내쉬며 고개를 절레절레 저었다.

"자식같이 키우긴 했지만, 영애의 말에는 동의 못 하겠네요. 성격이 얼마나…… 감당하기 힘드신데. 영애께는 안 그러시나 봐요?"

"특별히 그런 점은 못 느꼈어요."

그렇게 대답하자, 맥켈리드 백작부인이 나를 돌연 빤히 쳐다보기 시작했다. 그 시선이 부담스러워 나도 모르게 물었다.

"왜 그렇게 보시나요, 부인?"

그리고 매우 당황스러운 되물음을 받게 되었다.

"영애는 황후가 되고 싶은 마음이 조금도 없나 봐요?"

"……."

어째 어제와 비슷한 상황인 느낌이었다. 그래서인지 어제보다는 덜 당황했다.

"제가 어떻게 감히 그런 자리를 넘볼 수 있겠어요."

솔직한 대답이었지만 맥켈리드 백작부인은 아니라고 생각한 모양이었다. 그녀가 말도 안 된다는 듯 고개를 절레절레 저으며 내게 물었다.

"왜요? 영애도 귀족인걸요."

"저보다 더 좋은 분과 결혼하셔야죠."

"영애도 충분히 좋은 사람이에요."

"……자작가의 영애가 황후가 된 전례가 없는 것으로 압니다, 맥켈리드 백작부인."

"그야 대부분의 황제들이 정략혼을 했으니까요."

"그분들 중 진정으로 마음에 품으셨던 여인 하나가 없었을까요."

나는 회의적인 목소리로 맥켈리드 백작부인에게 말했다.

"정부가 있는 건 다 그 때문이겠죠."

"……"

"정부로 살고 싶지는 않아요. 그 끝이 좋을지도 자신할 수 없고, 그런 불안정한 삶을 사는 너무……"

"그 말씀은 폐하께 어느 정도 마음이 있다는 걸로 받아들여도 될까요?"

비약 같은 질문이 내 말을 끊었고, 나는 당황했다. 이야기가…… 그렇게 되나.

"그런 말씀을 하시는 까닭이 뭔지 모르겠어요."

"영애가 마음에 안 들면 이런 말도 안 했겠죠. 난 영애가 마음에 들어요."

"제가 폐하와 남녀 관계로 발전하길 바라신다는 말씀처럼 들리네요."

"그것도 나쁘지 않죠."

"부인."

"내가 본 영애는 좋은 사람 같거든요. 믿어도 돼요. 궁에서 30년 가까이 살면 사람 보는 눈 정도는 어쩔 수 없이 길러지게 되어 있답니다."

"……."

"무디어스 공녀는 오랜 시간 폐하를 사모해 왔죠. 하지만 그건 진짜 사랑이 아니라, 단순한 동경에 불과해요. 혹은 황후 자리에 대한 갈망이던가."

"저는 다를 것처럼 말씀하시는군요."

"그럴 거 같은데요. 만약 폐하께서 엘스워드의 주인이 아니셨다면 무디어스 공녀가 폐하의 옆자리에 서고 싶어 할 일도 없겠죠."

"……."

"영애도 그런가요?"

나는 대답하지 못했다. 이미 맥켈리드 백작부인의 질문에서 그녀가 답을 확신하고 있다는 뉘앙스가 느껴졌기 때문이었다.

내게 레이놀즈는 단순한 주군이자 엘스워드의 황제가 아니었다. 그의 본질이 네로였기 때문이었다. 내가 가장 힘든 삶을 살 때 내 옆을 지켜주었던 나의 구원자. 그러니 그가 황제든 황제가 아니든 그것은 중요한 문제가 아니다. 하지만 이 사실을 말할 수는 없어서, 나는 결국 침묵하는 모양새가 되었다.

"무디어스 공녀가 폐하의 지위만 보는 속물적인 여자라고 비난하고 싶은 게 아니에요. 다만 환상 속에서 이루어진 결혼은…… 아주 위험하답니다."

"경험담이신 것처럼 말씀하시네요."

"경험담은 아니에요. 난 극히 현실적으로 생각하고 결혼했거든요."

맥켈리드 백작부인이 콧등을 매만지더니 회상하는 표정으로 중얼거렸다.

"목격담이죠. 선황제 폐하께서 그렇게 결혼하셨으니까."

"……."

"순전히 자기 욕심 하나로. 상대의 마음 따위는 고려조차 하지 않으셨죠."

레이놀즈의 부모님 이야기였다. 나도 모르게 얼굴이 굳어지자, 맥켈리드 백작부인이 낮게 웃음소리를 내며 말했다.

"그렇게 굳지 않아도 돼요. 아는 사람은 다 아는 이야기인걸."

"……."

"영애도 알 거라고 생각했어요. 폐하께서 말씀해 주셨나요?"

"네."

"……신기하네요. 그런 이야길 남에게 하시는 분이 아닌데."

그렇게 말한 뒤 맥켈리드 백작부인이 나를 바라보는 시선은 더 지긋해졌고, 나는 어쩐지 그녀의 페이스에 휘말리고 있다는 느낌을 강하게 받았다. 기분이 이상해졌다.

"영애가 올해 몇 살이죠?"

뜬금없이 나이를 물어왔다. 나는 얼떨결에 대답했다.

"스물입니다, 부인."

"아직 어리네요."

그녀가 엷은 미소를 띤 채로 중얼거렸다.

"스물은 자기 마음을 정확히 파악하기 어려울 나이죠."

하지만 내 정신적인 나이는 그보다 훨씬 더 높았다. 유리네트의 몸은 내게 껍데기에 불과했으니까.

"스스로를 속이지 말고 솔직해져요, 영애. 너무 늦어 버리면 분명 후회하는 순간이 온답니다."

"……."

"이만 가보는 게 좋겠네요. 내가 너무 붙잡고 있었군요. 곧 4시 인데."

시계를 보니 정말 그랬다. 이런 머리 복잡한 대화를 나눈 후 곧바로 그를 만나야 한다니.

'어제 일에 대한 여파가 채 가시지도 않았는데.'

걱정스러워졌다. 그래도 피할 수는 없는 노릇이었다.

❧ ❧ ❧

늘 그렇듯, 나를 가장 먼저 맞아주는 사람은 애슐리 경이었다.

"안녕하십니까, 레이디 유리네트."

"안녕하세요, 애슐리 경."

"어제 공작 전하와 춤추시는 모습 보았습니다."

앗, 시작부터 이런 화제라니. 나는 어색하게 웃어 버렸다.

"아, 네. 보셨군요. 다 전하께서 리드를 잘 해주신 덕분이지요. 전 어제 아쉽게도 애슐리 경을 보지 못했네요."

"전 몸이 갑자기 안 좋아져서 중간에 나왔거든요. 그래서 못 보셨을 수도 있습니다."

"저도……."

'나도 그랬다'고 말하려다가, 너무 쓸데없는 정보 같아서 입을 다물었다. 대신 자연스럽게 다른 쪽으로 말을 돌렸다.

"지금은 괜찮으신가요?"

"네, 다행히도 푹 쉬었습니다."

"잘됐네요. 폐하께서는……."

나도 모르게 머뭇거리다 조심스럽게 물었다.

"안에 계신가요?"

"네. 들어가 보시지요. 다과를 가져다드리겠습니다."

"감사해요, 경."

짤막한 대화를 나눈 뒤에, 나는 레이놀즈의 집무실 앞까지 걸어갔다. 그리고 깊게 심호흡을 했다.

한두 번 드나드는 방도 아닌데, 이상하게 오늘따라 들어가기가 겁이 났다. 나도 모르게 내 마음을 알아 버려서일까.

'잘 숨겨야 해.'

마음과는 상관없이, 내 결정에는 변함이 없었다. 그러니 내 마음이 어떻든 잘 숨겨야 한다. 태연하게 행동해야 한다. 그게 맞는 거니까. 속으로 그렇게 주문을 외우면서 나는 문을 두드렸다.

똑똑, 두 번의 노크와 함께 안에서 목소리가 들려왔다.

"……유린?"

그 이름은 무의식적으로 튀어나온 것일까. 나도 모르게 그 이름을 듣고 당황해 버렸다. 하지만 곧 정신을 차리고 그에게 말했다.

"들어가겠습니다."

나는 조심스럽게 손잡이를 돌리고 안으로 들어갔다. 문이 열리면서, 방 안을 채운 레이놀즈의 익숙한 체향이 나를 바람처럼 감쌌다. 나는 연기를 하는 사람처럼 미소 지으면서 그에게 인사했다.

"제국의 태양, 황제 폐하를 뵙습니다."

"……앉아, 영애."

"네."

잠시 후 시종이 들어와 휘낭시에와 오렌지페코 두 잔을 테이블 위에 내려놓고 나갔다. 그리고 그때까지 우리 중 입을 여는 사람은 없었다.

"어제 무도회 때문에 피곤하셨겠어요."

오렌지페코 한 모금을 마시면서 내가 먼저 정적을 깼다. 그리고 레이놀즈는 그럴 줄 몰랐다는 눈으로 나를 쳐다보았다. 무슨 금기의 화제를 꺼낸 것 마냥 보는 눈빛이 당황스러웠다. 내가 뭐, 못 꺼낼 말 꺼냈나. 어제 일로 착잡한 건 나 하나뿐일 텐데.

"영애도 많이 피곤했을 것 같아."

"저요?"

"그래. 케이터링이 훌륭하더군."

"아아."

그 이야기였나. 칭찬에 나도 모르게 미소 지었다.

"감사합니다. 입에 맞으셨는지 모르겠어요."

"훌륭했어. 걱정한 게 무색할 정도로."

"걱정하셨어요? 혹시라도 못할까 봐?"

"아니. 힘들어서 이 일 때려치울까 봐."

"에이, 설마요. 그런 일로 관둘 거였음 오지도 않았겠죠. 건국제 준비에도 참여하게 되었어요."

"맥켈리드 백작부인이 영애를 많이 신뢰하나 봐."

"과분한 신뢰에 몸 둘 바를 모를 지경이랍니다."

그렇게 말하면서, 자연스럽게 아까 맥켈리드 백작부인과 나누었던 대화가 떠올랐다. 나도 모르게 입꼬리가 굳어졌고, 그걸 눈치 빠른 레이놀즈가 잡아내지 못할 리 없었다.

"왜 그러지?"

"네?"

"갑자기 표정이 굳어지기에. 무슨 일 있었나?"

"……아뇨. 일은 무슨. 아무 일도 없었어요."

"혹시라도 백작부인이 괴롭히면 이야기하고."

"에이, 그런 일 없어요, 폐하. 부인께서 얼마나 다정다감하신데요. 정말 제게 잘해주세요."

"정말?"

"그럼 정말이죠. 아무렴 그런 걸로 거짓말을 할까요."

"그럼 이 질문에도 거짓말하지 않고 답해줄 수 있어?"

"네?"

내가 의아한 얼굴로 레이놀즈를 쳐다보자, 그가 나를 빤히 응시하며 물어왔다.

"루퍼트를 좋아하나?"

"……그게 무슨."

이 기시감은 또 뭘까. 고민하던 나는 이미 애슐리에 관해서도 그가 똑같은 질문을 했던 적이 있던 걸 떠올렸다.

그렇지만 지금 이건 정말 뜬금없는 말이었고, 나는 어벙한 얼굴로 말을 잇지 못했다. 갑자기 루퍼트를 좋아하냐고 물어보는 건 무슨 의도지? 앞뒤 대화에서 그런 질문을 할 만한 여지가 있었나?

"갑자기 그런 건 왜 물어보시는지……."

그렇게 물었다가, 나는 이내 기억해 냈다. 내가 무도회에서 루퍼트와 춤을 추었던 걸. 내가 무도회장에서 레이놀즈의 춤추는 모습을 보았으니, 그도 눈을 감고 춤을 춘 게 아니라면 나를 발견했을 것이다. ……그거 때문에 그러는 건가. 순간 말문이 막혔다.

"전하께서 춤을 청하셔서 한 곡 춘 것뿐입니다, 폐하. 별다른 사심은 없었어요. 대부분 다 그렇지 않나요?"

꼭 연애 감정이 있어야 춤을 추는 건 아니다. 물론 한 번의 춤을 통해 그런 방향으로 발전하는 커플도 상당히 많았지만, 적어도 그게 나는 아니었다.

"⋯⋯알고 있어. 그냥 내가 의처증일 뿐이지."

"⋯⋯."

알고 있다니 다행이었다. 의외로 자기 성찰은 객관적이라니까⋯⋯라고 생각하던 나는 곧 그의 말에서 이상한 점을 발견하고 황당해 했다.

"전 폐하와 결혼도 안 했는데요."

"하지만 유린은 내가 좋아하는 사람이지."

"어쨌든 아내는 아니잖아요."

"왜 그렇게 사소한 거에 집착해."

지, 집착⋯⋯. 레이놀즈의 말에 나는 또 한 번 말문이 막혔다. 날 순식간에 사소한 거에나 집착하는 사람으로 만들어 버리다니! 지금 이게 다 누구 때문에 나온 말인데!

"그럼 폐하께서도 무디어스 공녀와 결혼하실 생각이신 건가요?"

감정적으로 흥분해 버렸기 때문일까. 나도 모르게 그 말이 툭 튀어나왔다. 그리고 곧바로 당황했지만, 이미 쏟아진 물이었다.

레이놀즈가 나를 기묘한 눈으로 쳐다보며 물었다.

"그게 무슨 소리야?"

"어제⋯⋯."

나는 말을 해야 하나 말아야 하나 고민하다가, 이왕 시작한 말이니 끝까지 가보기로 마음먹었다.

"무디어스 공녀와 춤추셨잖아요."

"……."

"그럼 폐하께서도 그녀와 결혼할 생각이신 건가요?"

"그녀와 춤춘 건 별 뜻 없이 한 행동이었어."

그 대답에, 나는 순간 욱해서 쏘아붙였다.

"저도 같은 마음이었어요. 공작 전하와 사심이 있어 춤을 춘 게 아니었다고요. 설마 폐하는 되고, 저는 안 된다고 말씀하시려는 건 아니시지요?"

"그런 게 아니라……."

레이놀즈가 한쪽 눈살을 구기며 말했다.

"그래. 내가 잘못 물은 것 같군. 미안해."

"사과 들으려고 한 말이……."

아니었는데.

나는 그 뒷말을 다 내뱉지 못하고 입술을 꾹 깨물었다. 답지 않게 흥분하고 있다는 걸 나 스스로도, 그리고 레이놀즈도 알고 있었다.

'나 왜 이러지, 진짜…….'

감정 조절을 하지 못하는 스스로가 갑자기 더없이 한심하게 느껴졌다. 레이놀즈 앞에서 이런 적이 없어서 더 그런 것일지도 모른다. 그리고 혼란스러워하는 내게, 그가 조용히 물어왔다.

"싫었어?"

"……."

"내가 무디어스 공녀와 춤춘 거."

갑작스러운 질문에 나는 말문이 막힌 사람처럼 아무 말도 하지 못했다. 그런 내 대답을 레이놀즈가 인내심 있게 기다렸다. 하지만 아무리 시간이 많이 흘러도 내 입에서 대답이 나올 일은 없을 것이다. 그건 그 앞에서 내 마음을 인정하는 것과 다름이 없었으므로. 아까 나의 충동적인 행동들이 전부 질투에서 기인한 것이라는 것이라고 선언하는 꼴이었기 때문이었다.

"대답을 못 하네."

그런 내 속을 다 읽은 사람처럼 레이놀즈가 말해왔다. 입가에 어렴풋한 미소가 떠올랐고, 나는 그 미소를 보자마자 속이 울렁거렸다. 치부를 들킨 사람처럼 부끄러워졌다.

"무디어스 공녀와는 결혼할 생각 없어."

"……."

"아니."

그가 고개를 저으며 다시 말했다.

"난 아무와도 결혼하지 않아. 영애가 아니라면."

그러니까 어서 용기를 내라고 그는 말하는 것 같았다. 찻잔을 쥔 손이 나도 모르게 부들부들 떨리기 시작했다.

결국 나는…… 들켜버린 것 같았다. 우리 중 그 누구도 말하지 않왔지만, 분위기가 그렇다고 말해주었다. 그 분위기가 나를 질식시켰다. 나는 힘겹게 입을 열었다.

"폐하, 저는……."

"뭘 걱정하는지는 몰라도, 다 허상이야."

그렇게 말하는 목소리가 완고하고 단호했다. 나는 이제 눈동자까지 진동하는 것을 느끼며 그를 응시했다. 나와는 다르게 한 줌의 떨림조차 없어 보였다. 그 뻔뻔할 정도의 차분함이 내게는 당황스럽게만 느껴졌다.

"……."

나는 입술을 꾹 깨물고 천천히 찻잔을 내려놓았다. 여기서 더 있을 수가 없어졌다. 그의 입에서 나오게 될 다음 말들이 너무 두려워졌고, 결국 파르르 몸을 떨며 자리에서 일어났다. 그리고 그에게 인사도 하지 못한 채 도망치듯 집무실에서 빠져나왔다.

"영애, 무슨 일……."

그 갑작스러움에 놀란 애슐리 경이 물어왔지만, 거기에 대답할 여유조차 없었다. 나는 아무 말도 하지 못하고 내 방을 향해 달려갔다.

❧ ❧ ❧

"폐하."

바깥에서 애슐리의 목소리가 들려온 것은 그로부터 잠시 뒤였다.

홀로 남겨진 레이놀즈는 조금의 당황한 기색도 없이 차를 마시고 있었다.

그런 그에게 애슐리가 바깥에서 물어왔다.

"들어가도 되겠습니까."

"그래."

곧바로 애슐리가 안으로 들어왔다. 들어간 애슐리의 눈에 가장 먼저 뜨인 것은, 도망치듯 달려나간 유리네트의 모습과는 달리 몹시 태연하게 차를 마시고 있는 주군의 모습이었다. 그 차이가 이질적으로까지 느껴져 애슐리는 당황했다.

"무슨 일이지, 애슐리 경?"

"사토르디 영애와 무슨 일이 있으셨습니까?"

"……그건 왜?"

어쩐지 불쾌한 기색이 느껴지는 목소리였다. 남들은 잘 알아차리지 못할 수도 있겠지만, 그를 수년 동안 곁에서 모셔온 애슐리는 빠르게 눈치챘다. 그가 움찔하며 조심스럽게 말했다.

"갑자기…… 뛰쳐나가셔서요."

"으음……."

애슐리의 걱정에 레이놀즈는 잠시 생각하는 표정을 지었다.

그는 한참 동안 침묵하다 입을 열었다.

"내가 좀 더 인내심을 길러야 하는 모양이야."

"네?"

"뭐, 시간에 쫓기는 상황은 아니니까. 상관없나."

알 수 없는 소리만 하는 레이놀즈였다. 애슐리가 그런 주군을 영 알 수 없다는 눈빛으로 바라보고 있는데, 바깥에서 또 한 번 노크 소리가 들려왔다. 레이놀즈는 찻잔을 손에서 떼지 않은 채로 물어 왔다.

"또 무슨 일이지?"

"폐하, 손님이 오셨습니다."

"손님."

레이놀즈가 궁금하다는 목소리로 물었다.

"누구?"

"무디어스 공작 전하십니다."

이어지는 대답은 그가 기대했던 이름이 아니었다. 레이놀즈의 미간이 좁혀졌다. 그가 기분이 상한 사람처럼 찻잔을 테이블 위에 탁 소리 나게 내려놓았다.

"무슨 일로?"

이어지는 목소리가 싸늘했다. 곁에 있던 애슐리는 그 급격한 변 화에 흠칫 놀랐으나 내색하지는 않았다.

"건의 드릴 일이 있다 하십니다."

"건의라……."

"집무실로 들일까요? 아니면 응접실로……."

"응접실로 안내해."

레이놀즈가 차가운 목소리로 시종의 말을 끊었다.

"내 개인 공간에 그 교활한 노인네를 들일 수는 없지."

유린 덕분에 좋아졌던 기분이 확 가라앉았다. 레이놀즈는 누가 봐도 불쾌해 보이는 얼굴로 자리에서 일어섰다.

৬ ৬ ৬

"황제 폐하께서 드십니다."

응접실의 문이 열리고 안으로 들어서자, 자리에 앉아 차를 홀짝이는 무디어스 공작의 모습이 보였다.

그는 딸과 똑같은 적금색 머리카락과 먹물을 닮은 검은색 눈동자를 가지고 있었는데, 그 점이 레이놀즈로 하여금 메리언을 연상시켰다. 그리고 그 점이 레이놀즈가 무디어스 공작을 싫어하는 데 한몫했다. 물론 그의 머리색이 유린과 같은 은적발이었더래도 레이놀즈는 무디어스 공작을 싫어했겠지만.

어쨌든 레이놀즈는 무디어스 공작을 싫어했다.

"……."

그는 무표정한 얼굴로 무디어스 공작이 앉은 테이블까지 걸어갔다. 무디어스 공작이 재빨리 자리에서 일어나 그에게 예를 갖추어 인사했다.

"제국의 태양, 엘스워드의 미래, 만민의 위대한 아버지, 황제 폐하를 뵙습니다."

인사치레 한 번 참, 길기도 하군. 레이놀즈는 못마땅한 기분으로 그렇게 생각했다. 사실 그가 어떻게 인사를 올렸어도 그의 심기에 거슬렸을 것이다. 길이가 짧았다면 무례하고 불충하다고 욕을 했겠지.

"공작이 무슨 일로 날 보자고 했을까."

"건의 드릴 것이 있어 뵙자 하였습니다."

"건의라."

레이놀즈가 잘 이해 가지 않는다는 얼굴로 물었다.

"그런 것이라면 정무 회의 때 하여도 충분할 텐데?"

"정무 회의에서 건의 드리기에는 다소 사적인 일이라."

사적인 일.

거기에서 레이놀즈는 무디어스 공작의 방문 목적을 알아차렸다. 그가 참지 못하고 살짝 입꼬리를 끌어 올려 웃었다. 실소였다.

"무슨 사적인 일이길래 중앙궁까지 찾아왔는지 궁금해지는군."

"황후 책립과 관련한 일입니다."

역시나.

"황후 책립이 사적인 일은 아닐 텐데?"

"그 초석과 관련된 일이라서요."

무디어스 공작이 빙긋 웃으며 말을 이었다.

"어제 무도회에서 제 딸아이와 춤을 추셨다고 들었습니다."

"그랬지."

"늘 춤을 거절하시던 분이 이번에는 받아 주셨더군요."

그렇게 말하는 공작의 목소리에서는 일종의 감격스러움이 묻어 났다.

"제가 어제의 일을 긍정적으로 생각해도 되는 걸까요?"

"……."

비약도 이런 비약이 없다. 춤 한 번 춘 것 가지고 저런 반응이라 니. 그러다 레이놀즈는 문득 자신이 아까 유린에게 무디어스 공작 과 다름없이 굴었다는 사실을 깨닫고선 살짝 양심이 찔려왔다.

'내가 할 말은 아니었군.'

유린에게 갑자기 미안해졌다. 레이놀즈는 이따 그녀의 얼굴도 볼 겸 사과하러 가야겠다고 생각했다. 그리고 그런 레이놀즈의 속 내를 전혀 모르는 무디어스 공작은 그의 침묵마저 긍정적으로 받 아들였다.

"그럼 황후 책립은 언제쯤……."

레이놀즈의 생각이 유리네트에게서 벗어난 것은 무디어스 공작 의 그 목소리가 들려올 즈음이었다. '황후 책립'이라는 말에 레이놀 즈의 표정이 살짝 굳어졌다. 그가 당최 무슨 소리를 하는 건지 모르 겠다는 얼굴로 무디어스 공작을 쳐다보았다.

"미안하지만 아직은 생각이 없네, 무디어스 공."

그 말에, 무디어스 공작의 표정이 실망으로 물들었다. 하지만 그것도 잠시뿐이었다.

"그렇다면 약혼이라도 진행하시겠습니까?"

"도대체 '누구'를 황후로 책립하고 '누구'와 약혼을 하라는 건지 모르겠는데."

"누구긴요. 당연히 제 딸아이지요."

무디어스 공작이 당당하게 꺼낸 대답에 레이놀즈는 순간 말문이 막혔다. 사람을 당황시키게 하는 재주는 가문 이력인 듯했다.

레이놀즈가 빠르게 입을 열었다.

"무슨 오해가 있는 건지는 모르겠지만."

서늘한 목소리였다. 무디어스 공작이 움찔했다.

"무디어스 공녀가 춤을 청하기에 한 곡 춘 것뿐이야. 별다른 사심 없이 한 행동이지."

"대부분 다 그렇지 않나?"

아까 유리네트가 했던 말을 묘하게 변주하는 레이놀즈였다. 무디어스 공작의 표정이 굳어졌고, 레이놀즈는 웃으며 말했다.

"난 고작 춤 한 번에 공작이 이렇게 예민하게 반응할 줄은 몰랐군."

"그간 그 어떤 영애와도 춤추지 않으셨던 폐하께서 제 딸과 춤을 추셨으니 드리는 말씀입니다."

"고작 춤 하나에 너무 큰 의미를 부여하는 것 같다는 생각이 드는데."

"저뿐 아니라 모든 이들이 그렇게 생각하고 있습니다."

레이놀즈가 고개를 들어 올려 무디어스 공작을 쳐다보았다.

그는 의기양양한 표정이었다.

"폐하께서 제 딸아이와 춤을 춘 것을 계기로, 머지않아 제 딸아이를 황후로 책립하실 것이라고요."

"다들 상상력이 지나치군."

"모두의 생각이 그러하다면, 숙고해 주시기를 바랍니다, 폐하."

"유감스럽게도 모두의 생각이 어떻든 내게는 중요하지 않아, 무디어스 공."

레이놀즈가 한쪽 눈썹을 찡그리며 무디어스 공작에게 물었다.

"제국의 태양인 내가 타인의 눈치까지 봐야 하나?"

"……그건 아니지만."

무디어스 공작이 움찔하더니, 아까보다 더 조심스럽게 말을 이었다.

"황후 책립은 폐하의 사적인 문제가 아니지요. 아까 폐하께서도 말씀하셨지만, 제국의 후계를 안정화시키기 위해서라도 서둘러 황후를 보셔야 합니다. 폐하의 나이가 어언 스물여덟이시니까요."

"내가 알기로 공 또한 서른에 무디어스 공녀를 낳은 것으로 알고 있는데."

"······저와 폐하를 비교할 수는 없지요. 한낱 귀족과 제국의 황제를 어찌 동일선상에 둘 수 있겠습니까."

"중요한 건 공, 내가 아직 황후를 들일 생각이 없다는 것일세."

"하지만 저와 다른 귀족들은 폐하께 끊임없이 책립을 주장할 겁니다. 그것이 제국의 미래를 위한 길이니까요."

제국의 미래가 아닌 개인의 영달을 위한 행동이겠지. 레이놀즈가 속으로 비소했다. 무디어스 공작 역시 자신이 그 사실을 알고 있음을 모르지 않을 텐데, 이렇게 대놓고 말해오는 기세가 황당하면서도 우스웠다.

"아니면 폐하."

그때, 무디어스 공작이 목소리를 낮추었다. 무언가 은밀한 제안을 하려는 모양이었다.

"저와 거래를 하지 않으시겠습니까."

제국의 황제에게 이토록 당당히 거래 제안이라니. 레이놀즈는 헛웃음이 나왔지만 인내한 채 물었다.

"거래?"

"이번에 요양지에서 데려온 영애 하나를 시녀로 삼으셨다 들었습니다."

무디어스 공작이 유리네트를 언급하자, 여유로웠던 레이놀즈의 얼굴이 차갑게 굳어졌다. 그는 굳이 불쾌함을 감출 노력을 하지 않은 채 무디어스 공작에게 물었다.

340

"그런데?"

그 날카로움에 무디어스 공작은 잠시 움찔했지만, 곧 차분하게 다시 말을 이었다.

"제 딸도 중앙궁의 시녀로 들여 주십시오."

황당한 제안에 레이놀즈는 어이가 없어졌다. 그가 입꼬리만 살짝 끌어 올려 미소 지은 뒤 고개 저었다.

"싫다면?"

"폐하, 만일 제 딸아이를 중앙궁의 시녀로 들여 주신다면."

무디어스 공작이 눈을 빛냈다.

"제가 귀족들을 설득해 황후 책립 문제로 폐하를 더 귀찮게 하지 않도록 만들겠습니다."

"그대가 귀족 전체를 통합할 힘이 있다는 것처럼 들리는데."

몹시 위험한 발언이었다. 뒤늦게 그 사실을 인지한 무디어스 공작은 흠칫 놀랐지만 곧 차분하게 말했다.

"폐하, 제게 그럴 만한 힘이 있다는 걸 말씀드리는 게 아닙니다."

"그러면?"

"제가 어떻게 해서든 폐하의 심기를 어지럽히는 자들을 막아 내 보겠다, 이 말씀입니다."

무디어스 공작의 말에 레이놀즈는 하마터면 그 자리에서 크게 웃음을 터뜨릴 뻔했다. 지금 자신의 심기를 어지럽히는 가장 큰 요인은 바로 무디어스 부녀였다.

스스로의 입이라도 틀어막겠다 이 말인가. 레이놀즈가 재미있다는 얼굴로 말없이 무디어스 공작을 쳐다보았다.

"내게 그런 제안을 하는 까닭이 뭔가, 무디어스 공."

"저는 폐하께서 아직 제 딸아이의 진가를 모르고 있다고 생각합니다."

레이놀즈는 순간 말문이 막혔다. 하지만 무디어스 공작은 개의치 않고 계속 말했다.

"제 딸아이를 곁에 두시면서 찬찬히 지켜보신다면, 분명 마음이 움직이실 겁니다."

"……그렇다면 공, 내가 만약 그녀의 진가를 끝까지 알아보지 못한다면 어쩌지?"

레이놀즈가 부드러운 음성으로 무디어스 공작에게 말했다.

"약속해. 내가 무디어스 공녀를 중앙궁의 시녀로 들이면, 앞으로 귀족들의 입에서는 내가 먼저 말을 꺼내기 전까지 절대로 황후 책립에 대한 이야기가 나오지 말아야 할 것이며."

"……."

"그대 역시 다시는 내게 무디어스 공녀를 황후로 삼으라 간청하지 않겠다고 말이야."

"……네, 폐하. 그러겠습니다."

"쉬운 일이 아닐 텐데."

"그로 인해 폐하의 근심을 덜어드릴 수만 있다면야."

무디어스 공작이 빙긋 웃었다.

"노력해야지요, 제가."

그 가식적인 웃음이 다시 한번 레이놀즈의 말문을 막히게 만들었다. 그가 썩어들어가는 얼굴로 미소 지었다.

"나중에 서로 다른 말을 할 수 있으니 문서로 약속해 두는 게 좋겠군."

"그리 해주신다면 저야 안심이지요."

"좋아."

레이놀즈가 입꼬리를 끌어 올리며 애슐리를 불렀다.

"애슐리 경."

"네, 폐하."

"종이와 펜을 가지고 오도록 해."

레이놀즈는 무디어스 공작이 완벽한 오판을 했다고 생각했다. 그가 메리언의 진가를 알아볼 일은 '절대로' 없을 것이었기 때문이었다.

실제로도 레이놀즈의 생각은 맞았다. 다만 그 사이에 전혀 예상치 못한 일이 일어났을 뿐.

〈3권에서 계속〉

집사님은 폭군 사육 중?! 2

초판 1쇄 인쇄 2020년 5월 6일 초판 1쇄 발행 2020년 5월 13일

지은이 무소
펴낸이 연준혁

웹소설본부 본부장 이진영
책임편집 오가진
디자인 하은혜

펴낸곳 (주)위즈덤하우스 출판등록 2000년 5월 23일 제13-1071호
주소 (10402) 경기도 고양시 일산동구 정발산로 43-20 센트럴프라자 6층
전화 031) 936-4000 팩스 031) 903-3891
홈페이지 www.wisdomhouse.co.kr

값 14,000원
ISBN 979-11-90786-29-4 04810
      979-11-90786-27-0 세트